Theod

Imm...

und

Die Regentrude

Theodor Storm, *1817-1888, Novellist und Lyriker, gilt als einer der bedeutendsten Vertreter des literarischen Realismus in Deutschland. Seine zahlreichen Werke wurden in viele Sprachen übersetzt, auf die Bühne gebracht und verfilmt. Besonders bekannt sind u.a. die Novelle* Der Schimmelreiter *sowie weitere literarische Werke wie* Immensee, Die Regentrude, Pole Poppenspäler, Aquis submersus[1], Der kleine Häwelmann, Eine Halligfahrt *und viele Gedichte wie u.a.* Mondlicht, Schließe mir die Augen beide.
Seiner Heimatstadt Husum widmete Storm das Gedicht Die Stadt – am grauen Strand, am grauen Meer.

Leben
Theodor Woldsen Storm kam in der schleswigschen[2] Stadt Husum auf die Welt „bei starkem Gewitter in der Mitternachtsstunde" – wie er es später selbst beschrieb.
Sein Vater war Advokat und Notar, seine Mutter die Tochter eines Husumer Patriziers, des Senators Simon Woldsen. Sie besaß jugendliche Frische und eine feine Gestalt und gebar dreizehn Kinder. Theodor, das erste Kind, erhielt neben Theodor den Namen Woldsen, weil der Familienname wegen Mangel an männlicher Nachkommenschaft ausgelöscht war.

Im liberalen Elternhaus wuchs er freizügig auf. *„Erzogen wurde wenig an mir“*, schrieb er später, *„von Religion und Christentum habe ich nie reden hören.“*
Das früheste Ereignis, das den Jungen stark berührte, war der Tod seiner Schwester Lucie. In Tränen – schmächtig, still und in sich gekehrt – ging der Neunjährige am nahen Mühlenteich umher, kindliche Verse reimend.
Ein weiteres bedeutendes Erlebnis im Leben des jungen Theodor war die große Sturmflut im Februar 1835. Diesen Eindruck verarbeitete er später in seiner bekanntesten Erzählung Der Schimmelreiter.
1837 begann Theodor ein Rechtsstudium an der Universität Kiel. „Es ist das Studium, das man ohne besondere Neigung studieren kann, auch war mein Vater ja Jurist“, begründete er seine Entscheidung.
Er befreundete sich mit den Brüdern Theodor und Tycho Mommsen[3]*, mit denen er eine Sammlung schleswig-holsteinischer Lieder, Märchen und Sagen zusammentrug und die sie 1843 zusammen als* Liederbuch dreier Freunde *herausgaben.*
In dieser Zeit entstand auch seine Novelle Immensee, *die in der jetzigen Fassung zum ersten Mal 1852 in den* Sommergeschichten und Liedern *veröffentlicht wurde.*

1843 wurde Theodor Storm Rechtsanwalt in Husum. Drei Jahre später heiratete er seine Cousine Constanze Esmarch. Sie war eine klare, nüchterne und aufrichtige Frau. Doch bald nach der Eheschließung gehörte alle Leidenschaft Storms der neunzehnjährigen Senatorentochter Dorothea „Do“ Jensen, die – obwohl sogar eine Ehe zu dritt in Erwägung gezogen wurde – schließlich entsagte und Husum verließ. Die Leiden an der unerfüllten Liebe zu Dorothea fanden Ausdruck in Storms Lyrik. Der Gedichtzyklus mit Rote Rosen *und* Mysterium *zeugen davon.*
Das Jahr 1850 war für Schleswig-Holstein ein Schicksalsjahr. Husum wurde dänisch. Theodor Storm vertrat klar seine Meinung und trat für die Unabhängigkeit Schleswig-Holsteins von der dänischen Krone ein. Als Konsequenz verlor er 1852 auf Anweisung des dänischen Ministers für Schleswig seine Zulassung als Anwalt in Husum.
Er reiste nach Berlin und lernte Fontane[4] *kennen, der Lektor im literarischen Kabinett des Ministeriums war. Er wurde in den Kreis*

Franz Kuglers[5], Mitglied des literarischen Vereins „Tunnel an der Spree", aufgenommen, wo er Paul Heyse[6] traf.

Storm musste sich lange gedulden, bis ihm 1853 die Order Friedrich Wilhelms IV.[7] nach halbjähriger Probezeit einen Platz im preußischen Staatsdienst sicherte. Schweren Herzens übersiedelte er mit Constanze und ihren drei Jungen nach Potsdam. Nach drei Jahren wurde er Kreisrichter in Heiligenstadt. Dort führten sie in einem kleinen Haus mit nunmehr vier Kindern, Hans, Ernst, Karl und Lisbeth ein kleinbürgerliches Leben, wobei dem sinnierenden Familienvater die Zuflucht zu Arbeitsstunden am Schreibtisch und die Behaglichkeit fehlten. Es wurde im Winter nur die Wohnstube geheizt und alle waren in dem kleinen Raum zusammengepfercht.

Doch im Sommer winkte die Natur mit Waldesstille, frischen Quellen und dunklen Schatten, die auf Storms Phantasie ihren Reiz ausübten.

Im Jahr 1864 änderte sich Theodor Storms Leben. Das Ergebnis des Deutsch-Dänischen Krieges eröffnete die Möglichkeit zur Rückkehr nach Husum. Die „Stadt am grauen Meer" rief ihren Sohn zurück und bot ihm das Amt des Landvogts[8] an. Nach der Annexion Schleswig-Holsteins durch Preußen jedoch gab es 1867 eine Verwaltungsreform und Storm wurde preußischer Amtsgerichtsrat.

1865 war Constanze nach der Geburt ihres siebten Kindes an Kindbettfieber erkrankt und starb an einem „unvergesslichen" Frühlingstag im Mai. Der Gedichtszyklus Tiefe Schatten bringt Storms Trauer zum Ausdruck. Ein Jahr nach Constanzes Tod ließ sich Storm mit Dorothea Jensen trauen, seiner alten Jugendliebe. Sie machte ihn zum Vater eines achten Kindes.

Mehr denn je widmete er sich dem Schreiben. Im Jahr 1868 erschien die erste Auflage seiner Sämtliche Schriften. Etwa jedes zweite Jahr brachte er einen neuen Titel heraus.

1880 verabschiedete sich Storm auf eigenen Wunsch von seinem Richteramt und zog sich in das ländliche Hademarschen zurück.

Storm hatte die Höhe seines Lebens überschritten. Großen Wert bekamen für ihn nun die Freundschaften. Paul Heyse bot ihm das „Du" an und mit Gottfried Keller[9] begann er eine herzliche Korrespondenz. Im Herbst 1886 schwächte ihn eine Lungen- und Rippenfell-

entzündung und 1887 diagnostizierte ihm sein Hausarzt Magenkrebs. Am 14. September wurde sein siebzigster Geburtstag gefeiert. Er begann noch seine Novelle Die Armesünderglocke und die Aufzeichnung seiner Jugenderinnerungen. Trotz der Leiden konnte er seine längste Novelle, den Schimmelreiter, 1888 noch vollenden. Den letzten Gang durch seinen Garten unternahm er am 30. Juni 1888. Er starb am 4. Juli nachmittags, umgeben von seiner Frau und seinen Kindern. Am 7. Juli wurde er, begleitet von einer riesigen Menschenmenge, auf dem Friedhof St. Jürgen in Husum beigesetzt.
„Auch bleib' der Priester meinem Grabe fern!" hatte er gedichtet. Kein Geistlicher folgte seinem Sarg.
Zehn Jahre später wurde Theodor Storm von Fontane in einem Brief als „der bedeutendste Liebeslyriker seit Goethe" bezeichnet.

Werk

Storms Werk ist von seiner persönlichen Sensitivität geprägt, die er inne hatte. Lyrik und Novelle sind sein Ausdruck. „Meine Gedichte habe ich nicht gemacht, sie waren da", schrieb er einmal an seinen zweiten Sohn. Seine Erzählungskunst zeigt er in den zahlreichen Novellen. Die frühen Novellen sind „lyrische Novellen", wo Storm nur Ausschnitte aus dem Leben schilderte, wie z.B. in seinem Werk Immensee, der nachromantischen Novelle, der er seinen ersten Ruhm verdankt. Seine Mädchen- und Frauengestalten sind zwar noch von einem romantischen Hauch umgeben, werden aber mitten in die soziale Wirklichkeit hineingesetzt.

Die Novelle Aquis submersus leitet 1877 nach der Spätromantik die „Chroniknovelle" ein, die aus Geschehnissen der Geschichte und Sagen hervorgeht.
Später sind für Storm seine „tragischen Novellen" mit ihren „gescheiterten Helden" charakteristisch. Diesen Zeitabschnitt vertritt hauptsächlich Der Schimmelreiter, in dem sich die typische „norddeutsche Haltung" widerspiegelt.

Immensee, eine lyrische Erinnerungsnovelle

Immensee ist Storms berühmtestes erzählerisches Frühwerk, das 1849 in erster Fassung erschien. Es ist aus einzelnen, äußerlich nicht miteinander verbundenen bildhaften Szenen – Idyllen – zusammengesetzt: Ein alter

Mann namens Reinhard gedenkt in einem kleinen, dunklen Zimmer der großen Liebe seiner Jugend.
Der erste Text weicht von der zweiten endgültigen Fassung von 1852 bedeutend ab. Die Überschriften und manche Einzelheiten fehlen. Z.B. hat Storm den Teil gestrichen, wo Reinhard ein Amt findet, eine fleißige Frau heiratet und dann Kind und Frau verliert.
Weiterhin fehlt das Lied der Zigeunerin: „Heute, nur heute bin ich so schön…".
Storm selbst rühmt (von Eitelkeit nicht frei) in einem Brief an seine Eltern: „Immensee ist eine Perle deutscher Poesie. Es ist eine echte Dichtung der Liebe und durch und durch von dem Dufte und der Atmosphäre der Liebe erfüllt."

Die Regentrude, *ein Kunstmärchen*[10]

Das Märchen gehört zu dem Zyklus Geschichten aus der Tonne, (1868). Der Name stammt von einer alten Tonne, in die sich die beiden Buben Theodor Storm und Hans Räuber zurückzogen, um sich dort spannende Geschichten zu erzählen.
Eine dieser Geschichten ist Die Regentrude. Storm hat daraus ein vielschichtiges, sozialkritisches Kunstmärchen gemacht, das mit Feuerteufel und Regentrude trotz aller Kritik eine märchenhafte Stimmung schafft.
Als die Menschen der Naturgöttin Regentrude die schuldige Verehrung versagen, bleibt der Regen aus, Felder und Vieh vertrocknen. Das Gleichgewicht in der Natur ist gestört. Die Regentrude schläft. Gelingt es, sie zu wecken?

1. **Aquis submersus:** im Wasser versunken
2. **Schleswig-Holstein:** das nördlichste Land Deutschlands
3. **Christian Matthias Theodor Mommsen:** deutscher Historiker
4. **Theodor Fontane:** 1819-1898, Schriftsteller
5. **Franz Kugler:** 1808-1858, Historiker und Schriftsteller
6. **Paul Heyse:** 1830-1914, Schriftsteller
7. **Friedrich Wilhelm IV.:** 1795-1861, König von Preußen
8. **r Landvogt:** r Beamter mit besonderen Aufgaben
9. **Gottfried Keller:** 1819-1890, Schweizer Dichter
10. **s Kunstmärchen:** im Gegensatz zum Volksmärchen ist das Kunstmärchen das Werk eines Dichters

Theodor Storm

IMMENSEE

Der Alte

An einem Spätherbstnachmittag ging ein alter, gut gekleideter Mann langsam die Straße hinab. Er schien von einem Spaziergang nach Hause zurückzukommen, denn seine Schnallenschuhe[1], die einer alten Mode angehörten, waren staubig.

Er trug einen langen Rohrstock mit goldenem Knopf unter dem Arm und sah ruhig in die Stadt hinab, welche im Abendsonnenschein vor ihm lag.

Seine dunklen Augen standen eigentümlich im Kontrast zu den schneeweißen Haaren. Es schien, als hätte sich seine ganze vergangene Jugend in diese Augen gerettet.

Er fühlte sich fast wie ein Fremder, denn von den Vorübergehenden grüßten ihn nur wenige, obgleich mancher unwillkürlich[2] in diese ernsten Augen sehen musste.

Endlich stand er vor einem hohen Giebelhaus[3] still, sah noch einmal in die Stadt hinaus und trat dann in die Hausdiele[4].

Bei dem Ton der Türglocke wurde drinnen in der Stube von einem Guckfenster, welches nach der Diele hinausging, der grüne Vorhang weggeschoben und es erschien das Gesicht einer alten Frau. Der Mann winkte ihr mit seinem Rohrstock. „Noch kein Licht!" sagte er in einem etwas südlichem Akzent und die Haushälterin ließ den Vorhang wieder fallen.

Der Alte ging nun über die weite Hausdiele, dann durch einen Korridor, wo an den Wänden große Eichenschränke mit Porzellanvasen standen. Durch die gegenüberliegende Tür trat er in einen kleinen Flur, von wo aus eine enge Treppe zu den oberen Zimmern des Hinterhauses führte.

Er stieg sie langsam hinauf, schloss oben eine Tür auf und trat dann in ein mäßig großes[5] Zimmer.

1. e Schnallenschuhe: *Pl.*, Schuhe mit einer Schnalle
2. unwillkürlich: spontan
3. s Giebelhaus: s Haus mit spitzem Dach
4. e Hausdiele: breiter Flur
5. mäßig groß: mittelgroß

7

Hier war es heimelig und still. Die eine Wand war fast ganz voll mit Aktenschränken und Büchergestellen, an der anderen hingen Bilder von Menschen und Landschaften.

Vor einem Tisch mit grüner Decke, auf dem einzelne aufgeschlagene Bücher umherlagen, stand ein schwerfälliger Lehnstuhl mit rotem Samtkissen.

Nachdem der Alte Hut und Stock in die Ecke gestellt hatte, setzte er sich in den Lehnstuhl, um mit gefalteten Händen von seinem Spaziergang auszuruhen.

Wie er so dasaß, wurde es allmählich dunkler. Endlich fiel ein Mondstrahl durch die Fensterscheiben auf die Gemälde an der Wand und als der helle Schein langsam weiterrückte, folgten ihm die Augen des Mannes. Er beleuchtete nun ein kleines Bild in einem einfachen, schwarzen Rahmen. „Elisabeth!" sagte der Alte leise.

Und wie er das Wort ausgesprochen hatte, war die Zeit verwandelt – er war in seiner Jugend.

Die Kinder

Ein kleines Mädchen von feiner Gestalt trat zu ihm.

Sie hieß Elisabeth und war wohl fünf Jahre alt. Er selbst war doppelt so alt.

Um den Hals trug sie ein rotseidenes Tüchlein, was ihr hübsch zu den braunen Augen stand.

„Reinhard!" rief sie. „Wir haben frei, frei! Den ganzen Tag keine Schule und morgen auch nicht."

Reinhard stellte schnell die Rechentafel[1], die er schon unter dem Arm hatte, hinter die Haustür und dann liefen beide Kinder durch das Haus in den Garten und durch die Gartentür hinaus auf die Wiese.

Sie freuten sich sehr über die unerwarteten Ferien, denn Reinhard hatte hier auf der Wiese mit Elisabeths Hilfe ein Haus aus Rasenstücken[2] gebaut. Darin wollten sie die Sommerabende wohnen, aber es fehlte noch die Bank.

1. e **Rechentafel:** s Hilfsmittel zum Rechnen
2. s **Rasenstück:** s Stück Gras mit Erde

Nun ging er gleich an die Arbeit. Nägel, Hammer und die nötigen Bretter lagen schon bereit.

Währenddessen sammelte Elisabeth den ringförmigen Samen der wilden Malve in ihre Schürze. Davon wollte sie sich Ketten und Halsbänder machen und als Reinhart endlich trotz manches krumm geschlagenen Nagels seine Bank dennoch fertig gebracht hatte und nun wieder in die Sonne hinaustrat, war sie schon weit weg am anderen Ende der Wiese.

„Elisabeth!" rief er. „Elisabeth!" Und da kam sie angelaufen und ihre Locken flogen.

„Komm", sagte er, „nun ist unser Haus fertig. Du bist ja ganz heiß geworden. Komm herein, wir wollen uns auf die neue Bank setzen! Ich erzähl' dir etwas."

Dann gingen sie beide hinein und setzten sich auf die neue Bank. Elisabeth nahm ihre Ringelchen aus der Schürze und zog sie auf lange Bindfäden.

Reinhard fing an zu erzählen: „Es waren einmal zwei Spinnfrauen…" – „Ach", sagte Elisabeth, „das weiß ich ja auswendig. Du musst auch nicht immer dasselbe erzählen."

Da hörte Reinhart mit der Geschichte von den Spinnfrauen[1] auf und erzählte stattdessen die Geschichte von dem armen Mann, der in die Löwengrube geworfen worden war.

„Nun war es Nacht", sagte er, „weißt du, ganz finstere[2], und die Löwen schliefen. Mitunter aber gähnten sie im Schlaf und streckten die roten Zungen aus. Da packte den Mann die Angst und er meinte, dass der Morgen komme. Und als auf einmal plötzlich ein heller Schein auf ihn fiel und er aufsah, stand ein Engel vor ihm. Der winkte ihm mit der Hand und ging dann gerade in die Felsen hinein."

Elisabeth hatte aufmerksam zugehört. „Ein Engel?" sagte sie. „Hatte er denn Flügel?"

„Es ist nur so eine Geschichte", antwortete Reinhart, „es gibt ja gar keine Engel."

„O pfui, Reinhart!" sagte sie und sah ihm starr ins Gesicht.

---

1. **e Spinnfrau**: e Frau, die am Spinnrad Faden spinnt
2. **finster**: dunkel

Als er sie aber ernst anblickte, fragte sie ihn zweifelnd: „Warum sagen sie es denn immer, dass es Engel gibt? Mutter und Tante und auch in der Schule?"

„Das weiß ich nicht", antwortete er.

„Aber du", sagte Elisabeth, „gibt es denn auch keine Löwen?"

„Löwen? Ob es Löwen gibt! In Indien. Da spannen die Götzenpriester[1] sie vor den Wagen und fahren mit ihnen durch die Wüste. Wenn ich groß bin, will ich einmal selbst dorthin. Da ist es vieltausendmal schöner als hier bei uns. Da gibt es gar keinen Winter. Du musst auch mit mir kommen. Willst du?"

„Ja", sagte Elisabeth, „aber meine Mutter muss dann auch mit und deine Mutter auch."

„Nein, sagte Reinhard, „die sind dann zu alt, die können nicht mit."

„Ich darf aber nicht allein."

„Du wirst schon dürfen, denn du wirst dann wirklich meine Frau und dann haben die andern dir nichts mehr zu befehlen."

„Aber meine Mutter wird weinen."

„Wir kommen ja wieder!" sagte Reinhard heftig, „sag es nur ehrlich, willst du mit mir reisen? Sonst geh' ich allein und dann komme ich nie wieder."

Die Kleine war dem Weinen nahe. „Mach nur nicht so böse Augen", sagte sie, „ich will ja mit nach Indien."

Reinhard fasste sie mit ausgelassener Freude bei beiden Händen und zog sie hinaus auf die Wiese.

„Nach Indien, nach Indien", sang er und tanzte mit ihr im Kreis, dass ihr das rote Tüchlein vom Hals flog. Dann aber ließ er sie plötzlich los und sagte ernst: „Es wird doch nichts daraus werden. Du hast keine Courage!"

„Elisabeth! Reinhard!" rief es jetzt von der Gartenpforte. „Hier! Hier!" antworteten die Kinder und sprangen Hand in Hand nach Hause.

1. r Götzenpriester: Priester fremder Götter

Im Wald

So lebten die Kinder zusammen.

Sie war ihm oft zu still, er war ihr oft zu wild, aber sie ließen deshalb nicht voneinander[1]. Sie teilten fast alle Freistunden, winters in den engen Zimmern ihrer Mütter, sommers in Busch und Feld[2].

Als Elisabeth einmal in Reinhards Gegenwart von dem Schullehrer getadelt wurde, stieß Reinhard seine Tafel zornig auf den Tisch, um die Aufmerksamkeit des Lehrers auf sich zu lenken. Es wurde nicht bemerkt. Aber Reinhard verlor das Interesse an den geographischen Vorträgen und schrieb statt dessen ein langes Gedicht.

Darin verglich er sich selbst mit einem jungen Adler, den Schulmeister aber mit einer grauen Krähe. Elisabeth war die weiße Taube. Der Adler schwor, an der grauen Krähe Rache zu nehmen, sobald ihm Flügel gewachsen seien.

Dem jungen Dichter standen die Tränen in den Augen. Er kam sich sehr erhaben[3] vor. Als er nach Hause kam, suchte er nach Schreibpapier und fand einen Pergamentband[4] im Schrank mit vielen weißen Blättern. Auf die ersten Seiten schrieb er mit sorgfältiger Hand sein erstes Gedicht.

Bald darauf kam er in eine andere Schule. Hier schloss er manche neue Kameradschaft mit Knaben seines Alters, aber seine Freundschaft mit Elisabeth wurde dadurch nicht gestört. Von den Märchen, welche er ihr sonst erzählt und wieder erzählt hatte, fing er jetzt an, die, welche ihr am besten gefallen hatten, aufzuschreiben. Dabei bekam er oft Lust, etwas von seinen eigenen Gedanken hineinzudichten, aber – er wusste nicht weshalb – es gelang ihm nicht. So schrieb er die Märchen genau auf, wie er sie selbst gehört hatte.

Dann gab er Elisabeth die Blätter, die sie in einem Schubfach

1. **nicht voneinander lassen:** sich nicht trennen
2. **in Busch und Feld:** auf dem Land
3. **erhaben:** feierlich, wichtig
4. **r Pergamentband:** s Buch aus Pergament

11

ihrer Schatulle[1] sorgfältig aufbewahrte. Und es war für ihn eine schöne Genugtuung, wenn Elisabeth manchmal abends in seiner Gegenwart diese Geschichten aus den von ihm geschriebenen Heften ihrer Mutter vorlas.

Sieben Jahre waren vorüber. Reinhard sollte zu seiner weiteren Ausbildung die Stadt verlassen. Elisabeth konnte sich nicht mit dem Gedanken abfinden, dass es nun eine Zeit ganz ohne Reinhard geben werde.

Es freute sie, als er eines Tages sagte, er werde, wie sonst, Märchen für sie aufschreiben. Er wolle sie ihr mit den Briefen an seine Mutter schicken. Sie müsse ihm dann wieder schreiben, wie sie ihr gefallen hätten.

Die Abreise rückt heran. Vorher aber kam noch mancher Reim in den Pergamentband. Das allein war für Elisabeth ein Geheimnis, obgleich sie selbst die Veranlassung zu dem ganzen Buch und zu den meisten Liedern war, welche nach und nach fast die Hälfte der weißen Blätter füllten.

Es war im Juni. Reinhard sollte am anderen Tage reisen.

Nun wollte man noch einmal einen festlichen Tag zusammen verbringen. Dazu wurde eine Landpartie in größerer Gesellschaft in eines der nahe gelegenen Wäldchen veranstaltet.

Der stundenlange Weg bis an den Rand des Waldes wurde mit dem Wagen zurückgelegt, dann nahm man die Proviantkörbe herunter und marschierte weiter.

Zuerst musste ein Tannengeholz[2] durchwandert werden. Es war kühl und dämmerig und der Boden überall mit feinen Nadeln bestreut.

Nach halbstündigem Wandern kam man aus dem Tannendunkel in eine frische Buchenwaldung[3]. Hier war alles licht und grün, manchmal fiel ein Sonnenstrahl durch die blätterreichen Zweige, ein Eichkätzchen sprang über ihren Köpfen von Ast zu Ast.

1. **e Schatulle:** s Kästchen
2. **s Tannengeholz:** r Wald mit Tannenbäumen
3. **e Buchenwaldung:** r Wald mit Buchen

Auf einem Platz, über welchem uralte Buchen mit ihren Kronen zu einem durchsichtigen Laubgewölbe¹ zusammenwuchsen, machte die Gesellschaft halt.

Elisabeths Mutter öffnete einen der Körbe und ein alter Herr verteilte den Proviant.

„Alle um mich herum, ihr jungen Vögel!" rief er. „Und merkt euch genau, was ich zu sagen habe: Zum Frühstück erhält jetzt jeder von euch zwei trockene Brötchen. Die Butter ist zu Hause geblieben, die Zukost² müsst ihr euch selbst suchen. Es wachsen genug Erdbeeren im Wald, das heißt, für den, der sie zu finden weiß. Wer ungeschickt ist, muss sein Brot trocken essen. So geht es überall im Leben. Habt ihr meine Rede verstanden?" – „Jawohl!" riefen die Jungen.

„Ja seht", sagte der Alte, „sie ist aber noch nicht zu Ende. Wir Alten haben uns im Leben schon genug bewegt, darum bleiben wir jetzt zu Haus, das heißt, hier unter diesen breiten Bäumen, und schälen die Kartoffeln und machen Feuer und decken den Tisch, und wenn die Uhr zwölf ist, sollen auch die Eier gekocht werden.

Dafür seid ihr uns von euren Erdbeeren die Hälfte schuldig, damit wir auch einen Nachtisch servieren können. Und nun geht nach Osten und Westen und seid ehrlich!"

Die Jungen machten allerlei schelmische³ Gesichter.

„Halt!" rief der Alte noch einmal. „Das brauche ich euch wohl nicht zu sagen, wer keine findet, braucht auch keine abzuliefern, aber das schreibt euch wohl hinter eure feinen Ohren⁴, von uns Alten bekommt er auch nichts. Und nun habt ihr für diesen Tag gute Lehren genug, wenn ihr nun noch Erdbeeren dazu habt, so werdet ihr für heute schon durchs Leben kommen."

Die Jungen waren derselben Meinung und begannen sich paarweise auf den Weg zu machen.

---

1. s Laubgewölbe: s Dach aus Blättern
2. e Zukost: r Belag fürs Brötchen
3. schelmisch: übermütig, lustig
4. sich etwas hinter die Ohren schreiben: sich etwas merken

13

„Komm, Elisabeth", sagte Reinhard, „ich weiß einen Erdbeerenschlag; du sollst kein trockenes Brot essen." Elisabeth knüpfte die grünen Bänder ihres Strohhutes zusammen und hängte ihn über den Arm.

„So komm", sagte sie, „der Korb ist fertig."

Dann gingen sie in den Wald hinein, tiefer und tiefer; durch feuchte, undurchdringliche Baumschatten, wo alles still war, nur unsichtbar über ihnen in den Lüften hörte man das Geschrei der Falken. Dann ging es wieder durch dichtes Gestrüpp[1], so dicht, dass Reinhard vorangehen musste, um einen Pfad zu machen, hier einen Zweig zu knicken, dort eine Ranke beiseite zu biegen.

Bald aber hörte er hinter sich Elisabeth seinen Namen rufen.

Er wandte sich um.

„Reinhard!" rief sie. „Warte doch, Reinhard!"

Er konnte sie nicht sehen. Endlich erblickte er sie, wie sie in einiger Entfernung mit den Sträuchern kämpfte. Ihr feines Köpfchen war kaum über den Spitzen der Farnkräuter zu erkennen. Nun ging er noch einmal zurück und führte sie durch das Wirrwarr der Kräuter und Pflanzen auf einen freien Platz hinaus, wo blaue Schmetterlinge zwischen den einsamen Waldblumen flatterten.

Reinhard strich ihr die feuchten Haare aus dem erhitzten Gesichtchen und versuchte ihr den Strohhut aufsetzen, doch sie wollte es nicht. Dann aber bat er sie und sie ließ es geschehen.

„Wo bleiben denn aber deine Erdbeeren?" fragte sie endlich, indem sie stehenblieb und einen tiefen Atemzug tat.

„Hier haben sie gestanden", sagte er, „aber die Kröten sind uns zuvorgekommen, oder die Marder, oder vielleicht die Elfen[2]."

„Ja", sagte Elisabeth, „die Blätter stehen noch da, aber sprich hier nicht von Elfen. Komm nur, ich bin noch gar nicht müde; wir wollen weitersuchen."

Vor ihnen war ein kleiner Bach, jenseits wieder der Wald.

1. **s Gestrüpp:** s Dickicht, s Unterholz
2. **e Elfe:** e Fee, e Märchengestalt

Reinhard hob Elisabeth auf seine Arme und trug sie hinüber. Nach einer Weile traten sie aus dem schattigen Laub wieder in eine weite Lichtung[1] hinaus.

„Hier müssen Erdbeeren sein", sagte das Mädchen, „es duftet so süß."

Sie gingen suchend durch den sonnigen Raum, aber sie fanden keine.

„Nein", sagte Reinhard, „es ist nur der Duft des Heidekrautes[2]."

Überall standen Himbeer- und Brombeerbüsche durcheinander. Starker Geruch von Heidekräutern, welche abwechselnd mit kurzem Gras die freien Stellen des Bodens bedeckten, erfüllte die Luft.

„Hier ist es einsam", sagte Elisabeth, „wo mögen die andern sein?"

An den Rückweg hatte Reinhard nicht gedacht.

„Warte nur; woher kommt der Wind?" sagte er und hob seine Hand in die Höhe. Aber es kam kein Wind.

„Still!" sagte Elisabeth, „ich glaube, ich hörte sie sprechen. Ruf einmal dahinunter."

Reinhard rief durch die hohle Hand: „Kommt hierher!" „Hierher!" rief es zurück.

„Sie antworten!" sagte Elisabeth und klatschte in die Hände. „Nein, es war nichts, es war nur das Echo."

Elisabeth fasste Reinhards Hand. „Ich habe Angst!" sagte sie. „Nein", sagte Reinhard, „du brauchst keine Angst zu haben. Hier ist es prächtig. Setz dich dort in den Schatten zwischen die Kräuter. Lass uns eine Weile ausruhen. Wir finden die andern schon."

Elisabeth setzte sich unter eine überhängende Buche und lauschte[3] aufmerksam nach allen Seiten. Reinhard saß einige Schritte davon entfernt auf einem Baumstumpf und sah schweigend zu ihr hinüber.

Die Sonne stand gerade über ihnen. Es war glühende

---

1. e Lichtung: e Stelle im Wald, wo keine Bäume stehen
2. s Heidekraut: e Pflanze, Erika
3. lauschen: horchen, hören

Mittagshitze, kleine goldglänzende, stahlblaue Fliegen standen flügelschwingend in der Luft. Rings um sie her ein feines Schwirren und Summen und manchmal hörte man tief im Walde das Hämmern[1] der Spechte[2] und das Kreischen der andern Waldvögel.

„Horch[3]," sagte Elisabeth, „es läutet."

„Wo?" fragte Reinhard.

„Hinter uns. Hörst du? Es ist Mittag."

„Dann liegt hinter uns die Stadt; und wenn wir in dieser Richtung gerade durchgehen, müssen wir die andern treffen."

So traten sie ihren Rückweg an. Das Erdbeerensuchen hatten sie aufgegeben, denn Elisabeth war müde geworden.

Endlich klang zwischen den Bäumen hindurch das Lachen der Gesellschaft, dann sahen sie auch ein weißes Tuch am Boden schimmern. Das war die Tafel[4] und darauf standen Erdbeeren in Hülle und Fülle[5]. Der alte Herr hatte eine Serviette im Knopfloch und hielt den Jungen die Fortsetzung seiner moralischen Reden, während er eifrig an einem Braten herumtranchierte.

„Da sind die Nachzügler[6]!" riefen die Jungen, als sie Reinhard und Elisabeth durch die Bäume kommen sahen.

„Hierher!" rief der alte Herr. „Tücher ausgeleert. Hüte umgekehrt! Nun zeigt her, was ihr gefunden habt."

„Hunger und Durst!" sagte Reinhard.

„Wenn das alles ist", erwiderte der Alte und hob ihnen die volle Schüssel entgegen, „so müsst ihr auch hungrig bleiben. . Ihr kennt die Vereinbarung. Hier werden keine Müßiggänger[7] gefüttert."

Endlich ließ er sich aber doch erbitten und nun wurde gegessen. Dazu sang die Drossel[8] aus den Wacholderbüschen.

So ging der Tag vorbei.

1. **s Hämmern:** s Klopfen
2. **r Specht:** eine Vogelart
3. **horchen:** lauschen, hören
4. **e Tafel:** r Tisch
5. **in Hülle und Fülle:** eine große Menge
6. **r Nachzügler:** jemand, der zu spät kommt
7. **r Müßiggänger:** fauler Mensch
8. **e Drossel:** eine Vogelart

Reinhard hatte aber doch etwas gefunden. Waren es auch keine Erdbeeren, so war es doch auch im Wald gewachsen. Als er nach Hause gekommen war, schrieb er in seinen alten Pergamentband:

Hier an der Bergeshalde[1]
verstummt ganz der Wind;
die Zweige hängen nieder,
darunter sitzt das Kind.

Sie sitzt in Thymiane[2],
sie sitzt in lauter Duft;
die blauen Fliegen summen
und blitzen durch die Luft.

Es steht der Wald so schweigend,
sie schaut so klug darein;
um ihre braunen Locken
hin fließt der Sonnenschein.

Der Kuckuck lacht von ferne,
es geht mir durch den Sinn[3]:
Sie hat die goldnen Augen
der Waldeskönigin.

So war Elisabeth nicht nur sein Schützling[4]. Sie war ihm auch der Begriff für alles Liebliche und Wunderbare seines aufgehenden[5] Lebens.

1. **e Bergeshalde**: r Abhang eines Bergs
2. **r Thymian**: r Thymian, stark duftendes Kraut
3. **durch den Sinn gehen**: denken
4. **r Schützling**: jmd., den man behütet
5. **aufgehen**: beginnen, entfalten

Da stand das Kind am Wege

Der Weihnachtsabend kam heran.

Es war noch nachmittags, als Reinhard mit andern Studenten im Ratskeller am alten Eichentisch zusammensaß.

Die Lampen an den Wänden waren angezündet, denn hier unten wurde es schon dunkel. Es waren nur wenige Gäste da.

Die Kellner lehnten untätig an den Mauerpfeilern.

In einem Winkel des Gewölbes saßen ein Geigenspieler und ein Zithermädchen[1] mit seinen zigeunerhaften Zügen[2]. Sie hatten ihre Instrumente auf dem Schoß liegen und schienen teilnahmslos vor sich hin zu sehen.

Am Studententisch knallte ein Champagnerpfropfen.

„Trinke, mein böhmisch Liebchen!" rief ein junger Mann von junkerhaftem[3] Äußerem, indem er ein volles Glas zu dem Mädchen hinüberreichte.

„Ich mag nicht", sagte sie, ohne ihre Stellung zu verändern.

„So sing!" rief der Junker und warf ihr eine Silbermünze in den Schoß. Das Mädchen strich sich langsam mit den Fingern durch ihr schwarzes Haar, während der Geigenspieler ihr ins Ohr flüsterte, aber sie warf den Kopf zurück[4] und stützte das Kinn auf ihre Zither.

„Für den spiel' ich nicht", sagte sie.

Reinhard sprang mit dem Glas in der Hand auf und stellte sich vor sie.

„Was willst du?" fragte sie trotzig.

„Deine Augen sehen."

„Was gehen dich meine Augen an[5]?"

Reinhard sah funkelnd auf sie nieder. „Ich weiß wohl, sie sind falsch!"

Sie legte ihre Wange in die flache Hand und sah ihn lauernd[6] an. Reinhard hob sein Glas an den Mund.

---

1. **s Zithermädchen:** ein Mädchen, das ein Instrument, eine Zither, spielt
2. **r Zug:** *hier,* s Aussehen
3. **junkerhaft:** wie ein Junker, ein nobler, junger Herr
4. **den Kopf zurückwerfen:** stolz den Kopf nach hinten bewegen
5. **jmdn. etwas angehen:** sich für etwas interessieren
6. **lauernd:** fragend

„Auf deine schönen, sündhaften Augen!" sagte er und trank.

Sie lachte und warf den Kopf herum.

„Gib!" sagte sie, und indem sie ihn mit ihren schwarzen Augen ansah, trank sie langsam den Rest aus.

Dann griff sie einen Dreiklang auf der Zither und sang mit tiefer, leidenschaftlicher Stimme:

Heute, nur heute
bin ich so schön;
morgen, ach morgen
muss alles vergeh'n!

Nur diese Stunde
bist du noch mein;
sterben, ach sterben
soll ich allein.

Während der Geigenspieler mit schnellem Tempo das Nachspiel begann, kam noch ein Gast zu der Gruppe.

„Ich wollte dich abholen, Reinhard", sagte er. „Du warst schon fort; aber das Christkind ist zu dir gekommen."

„Das Christkind?" sagte Reinhard. „Das kommt nicht mehr zu mir."

„Ach was! Dein ganzes Zimmer roch nach Tannenbaum und braunen Kuchen."

Reinhard setzte das Glas aus der Hand und griff nach seiner Mütze.

„Was willst du?" fragte das Mädchen.

„Ich komme schon wieder."

Sie runzelte die Stirn.

„Bleib!" rief sie leise und sah ihn vertraulich an.

Reinhard zögerte.

„Ich kann nicht", sagte er.

Sie stieß ihn lachend mit der Fußspitze an.

„Geh!" sagte sie. „Du taugst nichts[1]. Ihr taugt alle miteinander nichts". Und während sie sich abwandte[2], stieg Reinhard langsam die Kellertreppe hinauf.

Draußen auf der Straße war es tiefe Dämmerung. Er fühlte die frische Winterluft an seiner heißen Stirn. Ab und zu[3] fiel der helle Schein eines brennenden Tannenbaums aus den Fenstern, dann und wann hörte man von drinnen das Geräusch von kleinen Pfeifen und Blechtrompeten und dazwischen fröhliche Kinderstimmen.

Bettelkinder gingen von Haus zu Haus oder stiegen auf die Treppengeländer und versuchten durch die Fenster einen Blick in die verbotene Herrlichkeit zu gewinnen. Manchmal wurde auch plötzlich eine Tür aufgemacht und scheltende[4] Stimmen trieben einen ganzen Schwarm[5] solcher kleinen Gäste aus dem hellen Hause auf die dunkle Straße hinaus.

Anderswo wurde auf dem Hausflur ein altes Weihnachtslied gesungen. Es waren klare Mädchenstimmen darunter.

Reinhard hörte sie nicht. Er ging schnell an allem vorüber, aus einer Straße in die andere. Als er an seiner Wohnung ankam, war es fast völlig dunkel geworden. Er stolperte die Treppe hinauf und trat in sein Zimmer.

Ein süßer Duft schlug ihm entgegen[6]. Das kam ihm vertraut vor, es roch wie zu Hause in Mutters Weihnachtsstube. Mit zitternder Hand zündete er sein Licht an. Da lag ein großes Paket auf dem Tisch und als er es öffnete, fielen die gut bekannten braunen Festkuchen heraus. Auf einigen waren die Anfangsbuchstaben seines Namens in Zucker gestreut.

Das konnte niemand anders als Elisabeth getan haben.

Dann fand er ein Päckchen mit feiner, gestickter Wäsche,

1. **nichts taugen:** nichts wert sein
2. **sich abwenden:** sich wegdrehen
3. **ab und zu:** vereinzelt, manchmal
4. **schelten:** schimpfen
5. **r Schwarm:** e große Zahl, e Menge
6. **entgegenschlagen:** entgegenkommen

Tücher und Manschetten[1], zuletzt Briefe von der Mutter und von Elisabeth. Reinhard öffnete zuerst den letzteren. Elisabeth schrieb: „Die schönen Zuckerbuchstaben können dir wohl erzählen, wer beim Kuchenbacken mitgeholfen hat! Dieselbe Person hat die Manschetten für dich gestickt.

Bei uns wird es nun Weihnachtabend sehr still werden.

Mutter stellt immer schon um zehn ihr Spinnrad in die Ecke. Es ist so einsam diesen Winter, wo du nicht hier bist.

Nun ist auch vorigen Sonntag der Hänfling[2] gestorben, den du mir geschenkt hattest. Ich habe sehr geweint, aber ich habe ihn doch immer gut gepflegt. Der sang sonst immer nachmittags, wenn die Sonne auf sein Käfig schien. Du weißt, die Mutter hängte oft ein Tuch über, um ihn zum Schweigen zu bringen, wenn er so laut aus Kräften sang. Da ist es nun noch stiller in der Kammer[3].

Manchmal kommt uns jetzt dein alter Freund Erich besuchen. Du sagtest einmal, er sähe seinem braunen Überrock[4] ähnlich. Daran muss ich nun immer denken, wenn er zur Tür hereinkommt, und er ist gar zu komisch. Sag es aber nicht zur Mutter, sie wird dann leicht ärgerlich.

Rat mal, was ich deiner Mutter zu Weihnachten schenke! Du rätst es nicht? Mich selber! Der Erich zeichnet mich in schwarzer Kreide. Ich habe ihm schon dreimal sitzen müssen, jedes Mal eine ganze Stunde. Es gefällt mir gar nicht, dass der fremde Mensch mein Gesicht so auswendig lernt.

Ich wollte es auch nicht, aber die Mutter redete mir zu. Sie sagte: Es würde der guten Frau Werner eine sehr große Freude machen.

Aber du hältst nicht Wort, Reinhard. Du hast keine Märchen geschickt. Ich habe dich oft bei deiner Mutter verklagt[5]. Sie sagt

1. **e Manschetten:** *Pl.*, Umschläge am Hemd
2. **r Hänfling:** r Vogelart
3. **e Kammer:** kleines Zimmer
4. **r Überrock:** e lange Jacke
5. **verklagen:** anschuldigen

dann immer, du habest jetzt mehr zu tun als solche Kindereien[1]. Ich glaube es aber nicht, es ist wohl anders." –

Nun las Reinhard auch den Brief seiner Mutter und als er beide Briefe gelesen und sie langsam wieder zusammengefaltet und weggelegt hatte, überfiel ihn unerbittliches Heimweh. Er ging eine Zeitlang in seinem Zimmer auf und nieder und sprach leise zu sich selbst:

Er wäre fast verirret[2]
und wusste nicht hinaus,
da stand das Kind am Wege
und winkte ihm nach Haus!

Dann trat er an sein Pult[3], nahm etwas Geld heraus und ging wieder auf die Straße hinab.

Hier war es inzwischen stiller geworden. Der Wind fegte[4] durch die einsamen Straßen, die Umzüge der Kinder hatten aufgehört, die Weihnachtsbäume waren ausgebrannt. Alte und Junge saßen in ihren Häusern familienweise zusammen. Der zweite Abschnitt des Weihnachtabends hatte begonnen.

Als Reinhard am Ratskeller vorbeikam, hörte er aus der Tiefe herauf Geigenklänge und den Gesang des Zithermädchens. Unten klingelte die Kellertür und eine dunkle Gestalt schwankte[5] die breite, matt erleuchtete Treppe herauf.

Reinhard trat in den Häuserschatten und ging dann rasch vorüber. Nach einer Weile erreichte er den erleuchteten Laden eines Juweliers und, nachdem er hier ein kleines Kreuz von roten Korallen eingehandelt[6] hatte, ging er auf demselben Weg, den er gekommen war, wieder zurück.

Nicht weit von seiner Wohnung bemerkte er ein kleines

1. e Kindereien: *Pl.*, dumme Dinge
2. er wäre fast verirret: er hätte sich fast verirrt
3. s Pult: r Schreibtisch
4. fegen: *hier*, blasen, wehen
5. schwanken: unsicher gehen
6. einhandeln: kaufen

Mädchen in armseligen Lumpen[1], das an einer hohen Haustür stand und vergeblich versuchte, sie zu öffnen.

„Soll ich dir helfen?" fragte er. Das Kind erwiderte nichts, ließ aber die schwere Türklinke los.

Reinhard hatte schon die Tür geöffnet. Dann sagte er aber: „Nein, sie könnten dich hinausjagen. Komm mit mir! Ich will dir Weihnachtskuchen geben."

Dann machte er die Tür wieder zu und fasste das kleine Mädchen an der Hand, das stillschweigend mit ihm in seine Wohnung ging.

Er hatte das Licht beim Weggehen brennen lassen.

„Hier hast du Kuchen", sagte er und gab ihr die Hälfte seines ganzen Schatzes in die Schürze – nur kein Stück mit Zuckerbuchstaben.

„Nun geh nach Hause und gib deiner Mutter auch davon."

Das Kind sah mit einem scheuen Blick zu ihm hinauf. Es schien solche Freundlichkeit nicht zu kennen und konnte nichts darauf erwidern.

Reinhard machte die Tür auf und leuchtete ihm und nun flog die Kleine wie ein Vogel mit ihren Kuchen die Treppe hinab und zum Haus hinaus.

Reinhard machte in seinem Ofen das Feuer an und stellte das staubige Tintenfass auf seinen Tisch: Dann setzte er sich hin und schrieb. Er schrieb die ganze Nacht Briefe an seine Mutter und an Elisabeth. In Elisabeths Brief legte er das Korallenkreuz.

Der Rest der Weihnachtskuchen lag unberührt neben ihm, aber die Manschetten von Elisabeth hatte er angeknöpft, was seltsam zu seinem weißen Flauschrock[2] aussah.

Er saß noch so da, als am Morgen die Wintersonne auf die gefrorenen Fensterscheiben fiel und er gegenüber im Spiegel sein blasses, ernstes Antlitz[3] sah.

---

1. **armselige Lumpen:** *Pl.*, zerrissene Kleidung
2. **r Flauschrock:** e Jacke aus weichem Stoff
3. **s Antlitz:** s Gesicht

Zuhause

Als es Ostern[1] geworden war, reiste Reinhard in die Heimat. Am Morgen nach seiner Ankunft ging er gleich zu Elisabeth. „Wie groß du geworden bist", sagte er, als das schöne schlanke Mädchen ihm lächelnd entgegenkam. Sie errötete, aber sie erwiderte nichts. Beim Willkommen nahm er ihre Hand in die seine, doch sie versuchte, sie ihm sanft zu entziehen.

Er sah sie zweifelnd an. Das hatte sie früher nicht getan. Es war nun, als trete etwas Fremdes zwischen sie.

Das blieb auch so, als er länger dablieb und Tag für Tag immer wiederkam.

Wenn sie allein zusammensaßen, entstanden Pausen, die ihm peinlich waren und er versuchte schnell ein Gespräch zu beginnen.

Um während der Ferienzeit eine bestimmte Unterhaltung zu haben, fing er an, Elisabeth in der Botanik zu unterrichten. Damit hatte er sich gelegentlich in den ersten Monaten seines Universitätslebens beschäftigt. Elisabeth, die ihm in allem zu folgen gewohnt und außerdem lehrhaft war, ging bereitwillig darauf ein.

Nun wurden mehrere Male in der Woche Exkursionen in Feld und Heide gemacht. Wenn sie dann mittags die grüne Botanisierkapsel[2] voll Kraut und Blumen nach Hause gebracht hatten, kam Reinhard einige Stunden später wieder, um mit Elisabeth den gemeinschaftlichen Fund zu teilen.

In solcher Absicht trat er eines Nachmittags ins Zimmer, als Elisabeth am Fenster stand und in einen vergoldeten Vogelkäfig, den er sonst dort nicht gesehen hatte, frischen Hühnerschwarm[3] steckte. Im Käfig saß ein Kanarienvogel, der mit den Flügeln schlug und kreischend nach Elisabeths Finger pickte.

Sonst hatte Reinhards Vogel an dieser Stelle gehangen.

---

1. s **Ostern:** christliches Frühlingsfest, Auferstehung Christi
2. e **Botanisierkapsel:** r Behälter für Pflanzen aus Blech
3. r **Hühnerschwarm:** eine Pflanze

„Hat sich mein armer Hänfling nach seinem Tode in einen Goldfinken verwandelt?" fragte er heiter.

„Das pflegen die Hänflinge nicht", sagte die Mutter, welche spinnend im Lehnstuhle saß.

„Ihr Freund Erich hat ihn heute Mittag für Elisabeth von seinem Hof[1] hergeschickt."

„Von welchem Hof?"

„Das wissen Sie nicht?"

„ Was denn?"

„Dass Erich seit einem Monat den zweiten Hof seines Vaters am Immensee übernommen hat?"

„Aber Sie haben mir kein Wort davon gesagt."

„Ei", sagte die Mutter, „Sie haben sich auch noch mit keinem Worte nach Ihrem Freunde erkundigt. Er ist ein wirklich lieber, verständiger junger Mann."

Die Mutter ging hinaus, um Kaffee zu kochen. Elisabeth hatte Reinhard den Rücken zugewandt und war noch mit dem Füttern des Vogels beschäftigt.

„Bitte, nur einen kleinen Moment", sagte sie, „gleich bin ich fertig."

Da Reinhard gegen seine Gewohnheit nicht antwortete, blickte sie sich um. In seinen Augen lag plötzlich ein Ausdruck von Kummer, den sie nie darin gesehen hatte.

„Was fehlt dir, Reinhard?" fragte sie, indem sie nahe zu ihm trat.

„Mir?" fragte er gedankenlos und ließ seine Augen träumerisch in den ihren ruhen[2].

„Du siehst so traurig aus."

„Elisabeth", sagte er, „ich kann den gelben Vogel nicht leiden[3]."

Sie sah ihn staunend an. Sie verstand ihn nicht.

„Du bist so sonderbar", sagte sie.

Er nahm ihre beiden Hände, die sie ruhig in den seinen ließ. Bald trat die Mutter wieder herein. Nach dem Kaffee setzte diese sich an ihr Spinnrad.

1. r Hof: r Bauernhof
2. er ließ seine Augen in den ihren ruhen: er sah sie lange an
3. nicht leiden können: nicht mögen

Reinhard und Elisabeth gingen ins Nebenzimmer, um ihre Pflanzen zu ordnen. Nun wurden Staubgefäße gezählt, Blätter und Blüten sorgfältig ausgebreitet und von jeder Art zwei Exemplare zum Trocknen zwischen die Seiten eines großen Folianten[1] gelegt.

Es war sonnige Nachmittagsstille, nur nebenan schnurrte[2] das Spinnrad der Mutter und von Zeit zu Zeit konnte man Reinhards ruhige Stimme hören, wenn er die Ordnungen und Klassen der Pflanzen nannte oder Elisabeths ungeschickte Aussprache der lateinischen Namen korrigierte.

„Mir fehlt noch von neulich die Maiblume", sagte sie jetzt, als der ganze Fund bestimmt[3] und geordnet war.

Reinhard zog einen kleinen weißen Pergamentband aus der Tasche. „Hier ist ein Maiblumenstengel für dich", sagte er, indem er die halbgetrocknete Pflanze herausnahm.

Als Elisabeth die beschriebenen Blätter sah, fragte sie: „Hast du wieder Märchen gedichtet?"

„Es sind keine Märchen", antwortete er und reichte ihr das Buch.

Es waren lauter Verse, die meisten füllten höchstens eine Seite. Elisabeth wandte ein Blatt nach dem andern um. Sie schien nur die Überschriften zu lesen:

„Als sie vom Schulmeister gescholten war." – „Als sie sich im Walde verirrt hatten." – „Mit dem Ostermärchen." – „Als sie mir zum ersten Mal geschrieben hatte". In der Weise lauteten fast alle.

Reinhard blickte forschend zu ihr hin, und indem sie immer weiterblätterte, sah er, wie zuletzt auf ihrem klaren Antlitz ein zartes Rot hervorkam und sich allmählich über ihr ganzes Gesicht breitete.

Er wollte ihre Augen sehen, aber Elisabeth sah nicht auf und legte das Buch am Ende schweigend vor ihm hin.

„Gib es mir nicht so zurück!" sagte er.

Sie nahm eine braune Pflanze aus der Blechkapsel. „Ich will

1. r **Foliant:** großes Buch
2. **schnurren:** das Geräusch des Spinnrads
3. **bestimmen:** analysieren

dein Lieblingskraut hineinlegen", sagte sie und gab ihm das Buch in seine Hände.

Endlich kam der letzte Tag der Ferienzeit und der Morgen der Abreise. Auf ihre Bitte erhielt Elisabeth von der Mutter die Erlaubnis, ihren Freund an den Postwagen zu begleiten, der einige Straßen von ihrer Wohnung seine Station[1] hatte.

Als sie vor die Haustür traten, gab Reinhard Elisabeth den Arm. So ging er schweigend neben dem schlanken Mädchen her. Je näher sie ihrem Ziel kamen, desto mehr war es ihm, als ob er ihr etwas Wichtiges sagen musste, bevor sie auf so lange Zeit Abschied nahmen. Etwas, wovon sein künftiges Leben abhänge, doch gelang es ihm nicht, die erlösenden Worte auszusprechen. Das ängstigte ihn. Er ging immer langsamer.

„Du kommst zu spät", sagte sie, „es hat schon zehn geschlagen auf St. Marien[2]."

Er ging darum aber nicht schneller. Endlich sagte er stammelnd[3]: „Elisabeth, du wirst mich nun in zwei Jahren gar nicht sehen – wirst du mich wohl noch genauso liebhaben wie jetzt, wenn ich wieder da bin?"

Sie nickte und sah ihm freundlich ins Gesicht.

„Ich habe dich auch verteidigt", sagte sie nach einer Pause.

„Mich? Gegen wen hattest du das nötig?"

„Gegen meine Mutter. Wir sprachen gestern Abend, als du weggegangen warst, noch lange über dich. Sie meinte, du seiest nicht mehr so gut wie früher."

Reinhard schwieg einen Augenblick. Dann aber nahm er ihre Hand in die seine und indem er ihr ernst in ihre Kinderaugen blickte, sagte er: „Ich bin noch ebenso gut, wie ich gewesen bin. Glaube du das nur fest! Glaubst du es Elisabeth?"

„Ja", sagte sie.

Er ließ ihre Hand los und ging rasch mit ihr durch die letzte Straße.

1. **e Station:** e Haltestelle
2. **St. Marien:** eine Kirche
3. **stammelnd:** stotternd

Je näher der Abschied kam, desto freudiger wurde sein Gesicht; er ging ihr fast zu schnell.

„Was hast du, Reinhard?" fragte sie.

„Ich habe ein Geheimnis, ein schönes!" sagte er und sah sie mit leuchtenden Augen an. „Wenn ich nach zwei Jahren wieder da bin, dann sollst du es erfahren."

Inzwischen hatten sie den Postwagen erreicht. Noch einmal nahm Reinhard ihre Hand. „Leb wohl", sagte er, „leb wohl, Elisabeth. Vergiss es nicht!"

Sie schüttelte mit dem Kopf. „Leb wohl!" sagte sie.

Reinhard stieg ein und die Pferde zogen an. Als der Wagen um die Straßenecke rollte, sah er noch einmal ihre liebe Gestalt, wie sie langsam den Weg zurückging.

Ein Brief

Fast zwei Jahre später saß Reinhard vor seiner Lampe zwischen Büchern und Papieren in Erwartung eines Freundes, mit welchem er gemeinschaftliche Studien übte[1].

Jemand kam die Treppe herauf. „Herein!"

Es war die Wirtin. „Ein Brief für Sie, Herr Werner!"

Dann ging sie wieder.

Reinhard hatte seit seinem Besuch in der Heimat nicht an Elisabeth geschrieben und von ihr keinen Brief mehr erhalten. Auch dieser war nicht von ihr. Es war die Handschrift seiner Mutter. Reinhard öffnete den Brief.

Und bald las er folgendes: „In deinem Alter, mein liebes Kind, hat fast jedes Jahr noch sein eigenes Gesicht: denn die Jugend lässt sich nicht ärmer machen.

Hier ist auch manches anders geworden, was dir wohl zuerst weh tun wird, wenn ich dich sonst recht verstanden habe.

Erich hat sich gestern endlich das Jawort[2] von Elisabeth geholt, nachdem er in dem letzten Vierteljahr zweimal vergebens

---

1. **gemeinschaftliche Studien üben:** zusammen studieren
2. **s Jawort:** e Zusage zur Hochzeit

angefragt hatte. Sie hat sich immer nicht dazu entschließen können. Nun hat sie es endlich doch getan. Sie ist auch noch gar so jung. Die Hochzeit soll bald sein, und ihre Mutter wird dann mit ihnen fortziehen.“

Immensee

Wiederum waren Jahre vorüber. –

Auf einem abwärts führenden schattigen Waldweg wanderte an einem warmen Frühlingsnachmittag ein junger Mann mit kräftigem, gebräuntem Antlitz. Mit seinen ernsten grauen Augen sah er gespannt in die Ferne, als erwarte er endlich eine Veränderung des monotonen Weges, die jedoch immer nicht eintreten wollte. Endlich kam ein Karrenfuhrwerk[1] langsam von unten heraufgefahren.

„Holla! Guter Freund“, rief der Wanderer dem neben dem Wagen hergehenden Bauer zu, „geht's hier richtig nach Immensee?“

„Immer geradeaus“, antwortete der Mann und rückte an seinem runden Hut.

„Ist es denn noch weit bis dahin?“

„Der Herr ist dicht davor. Keine halbe Tabakspfeife, so sind Sie am See. Das Herrenhaus[2] liegt dicht daran.“

Der Bauer fuhr weiter, der Wanderer ging schneller unter den Bäumen entlang. Nach einer Viertelstunde hörte auf der linken Seite plötzlich der Schatten auf.

Der Weg führte an einen Abhang, an dem hundertjährige Eichen standen. Eine weite, sonnige Landschaft breitete sich aus. Tief unten lag der See, ruhig, dunkelblau, ringsum fast ganz von grünen Wäldern umgeben. Nur an einer Stelle traten sie auseinander und erlaubten eine tiefe Fernsicht, bis auch diese durch blaue Berge geschlossen wurde.

Quer gegenüber, mitten in dem grünen Laub der Wälder, lag es darüber wie Schnee. Das waren blühende Obstbäume und daraus

---

1. s **Karrenfuhrwerk**: r Wagen mit Pferden
2. s **Herrenhaus**: r Gutshof

hervor erhob sich auf dem hohen Ufer das Herrenhaus, weiß mit roten Ziegeln. Ein Storch flog vom Schornstein auf und kreiste langsam über dem Wasser.

„Immensee!" rief der Wanderer. Es war fast, als hätte er jetzt das Ziel seiner Reise erreicht; denn er stand unbeweglich da und sah über die Wipfel der Bäume zu seinen Füßen hinüber ans andere Ufer, wo das Spiegelbild des Herrenhauses leise schaukelnd auf dem Wasser schwamm. Dann setzte er hastig[1] seinen Weg fort.

Es ging jetzt fast steil den Berg hinab, so dass die untenstehenden Bäume wieder Schatten gaben, zugleich aber die Aussicht auf den See verdeckten, der nur an manchen Stellen zwischen den Lücken der Zweige hindurchblitzte.

Bald ging es wieder sanft bergauf und nun verschwand rechts und links der Wald. Statt dessen streckten sich dichtbelaubte Weinhügel am Weg entlang. An beiden Seiten des Wegs standen blühende Obstbäume voll surrender, wühlender Bienen.

Ein stattlicher[2] Mann in braunem Überrock kam dem Wanderer entgegen. Als er ihn fast erreicht hatte, schwenkte er seine Mütze[3] und rief mit heller Stimme:

„Willkommen, willkommen, Bruder Reinhard! Willkommen auf Gut Immensee!"

„Gott grüß dich, Erich, und Dank für dein Willkommen!" rief ihm der andere entgegen.

Dann reichten sie sich die Hände.

„Bist du es denn aber auch wirklich?" sagte Erich, als er so nahe in das ernste Gesicht seines alten Schulkameraden sah.

„Freilich[4] bin ich's, Erich, und du bist es auch. Nur siehst du noch fast heiterer aus, als du es schon sonst immer getan hast."

Ein frohes Lächeln machte Erichs einfache Züge bei diesen Worten noch um vieles heiterer. „Ja, Bruder Reinhard", sagte er,

---

1. **hastig:** eilig, schnell
2. **stattlich:** groß
3. **die Mütze schwenken:** mit der Mütze winken
4. **freilich:** natürlich

diesem noch einmal seine Hand reichend, „ich habe aber auch seitdem das große Los gezogen[1], du weißt es ja."

Dann rieb er sich die Hände und rief vergnügt:

„Das wird eine Überraschung! Dich erwartet sie nicht, in alle Ewigkeit nicht!"

„Eine Überraschung?" fragte Reinhard. „Für wen denn?"

„Für Elisabeth."

„Elisabeth! Du hast ihr nichts von meinem Besuch gesagt?"

„Kein Wort, Bruder Reinhard. Sie denkt nicht an dich, die Mutter auch nicht. Ich habe dich ganz verheimlicht, damit die Freude desto größer sei. Du weißt, ich hatte immer so meine stillen Plänchen."

Reinhard wurde nachdenklich.

Der Atem schien ihm schwer zu werden, je näher sie dem Hofe kamen.

An der linken Seite des Weges hörten nun auch die Weingärten auf und machten einem großen Küchengarten Platz, der sich bis fast an das Ufer des Sees hinabzog.

Der Storch hatte sich inzwischen niedergelassen und spazierte gravitätisch zwischen den Gemüsebeeten umher.

„Holla", rief Erich, in die Hände klatschend, „stiehlt mir der hochbeinige Ägypter schon wieder meine kurzen Erbsenstangen!"

Der Vogel erhob sich langsam und flog auf das Dach eines neuen Gebäudes, das am Ende des Küchengartens lag und dessen Mauern mit aufgebundenen Pfirsich- und Aprikosenbäumen überzweigt waren.

„Das ist die Spritfabrik", sagte Erich. „Ich habe sie erst vor zwei Jahren angelegt. Die Wirtschaftsgebäude hat mein Vater selig[2] neu bauen lassen. Das Wohnhaus ist schon von meinem Großvater gebaut worden. So kommt man immer ein bisschen weiter."

Sie waren bei diesen Worten auf einen geräumigen Platz gekommen, der an den Seiten durch die ländlichen Wirtschafts- gebäude, im Hintergrund durch das Herrenhaus begrenzt wurde, an dessen beide Seiten sich eine hohe Gartenmauer anschloss.

---

1. **das große Los ziehen:** s Glück haben
2. **mein Vater selig:** mein verstorbener Vater

Hinter dieser sah man die Reihen dunkler Taxuswände[1] und hin und wieder ließ der Flieder[2] seine blühenden Zweige in den Hof hinunterhängen.

Männer mit sonnen- und arbeitsheißen Gesichtern gingen über den Platz und grüßten die Freunde, während Erich dem einen und dem anderen einen Auftrag oder eine Frage über ihr Tagewerk zurief.

Dann hatten sie das Haus erreicht. Ein hoher, kahler Hausflur nahm sie auf, an dessen Ende bogen sie links in einen etwas dunkleren Seitengang ein.

Hier öffnete Erich eine Tür und sie traten in einen großen Gartensaal, der durch das Laub, welches die gegenüberliegenden Fenster bedeckte, zu beiden Seiten mit grüner Dämmerung erfüllt war.

Zwischen diesen aber ließen zwei hohe, weit geöffnete Flügeltüren[3] den vollen Glanz der Frühlingssonne hereinfallen und boten die Aussicht in einen Garten mit gezirkelten Blumenbeeten und hohen, steilen Laubwänden. Diese waren durch einen graden breiten Gang geteilt, durch welchen man auf den See und weiter auf die gegenüberliegenden Wälder hinaussah.

Als die Freunde hineintraten, trug die Zugluft[4] ihnen einen Strom von Duft entgegen.

Auf einer Terrasse vor der Gartentür saß eine weiße, mädchenhafte Frauengestalt. Sie stand auf und ging den Eintretenden entgegen, aber auf halbem Wege blieb sie wie angewurzelt stehen und starrte den Fremden unbeweglich an. Er streckte ihr lächelnd die Hand entgegen.

„Reinhard!" rief sie. „Reinhard! Mein Gott, du bist es! – Wir haben uns lange nicht gesehen."

„Lange nicht", sagte er und konnte nichts weiter sagen; denn als er ihre Stimme hörte, fühlte er einen feinen körperlichen Schmerz

1. **e Taxuswand:** e Wand aus Büschen
2. **r Flieder:** stark duftender Busch
3. **e Flügeltür:** e Tür, die aus zwei Teilen besteht
4. **e Zugluft:** r Wind

32

am Herzen und wie er zu ihr aufblickte, stand sie vor ihm, dieselbe leichte, zärtliche Gestalt, der er vor Jahren in seiner Vaterstadt Lebewohl gesagt hatte.

Erich war mit freudestrahlendem Antlitz an der Tür zurückgeblieben. „Nun Elisabeth", sagte er, „nicht wahr, den hättest du nicht erwartet, den in alle Ewigkeit nicht!"

Elisabeth sah ihn mit schwesterlichen Augen an.

„Du bist so gut, Erich!" sagte sie.

Er nahm ihre schmale Hand liebkosend in die seinen.

„Und nun, da wir ihn haben", sagte er, „nun lassen wir ihn so bald nicht wieder los. Er ist so lange draußen gewesen. Wir wollen ihn wieder heimisch machen[1]. Schau nur, wie fremd und vornehm er aussieht."

Ein scheuer Blick Elisabeths traf für einen Augenblick Reinhards Gesicht.

„Es ist nur die Zeit, die wir nicht beisammen waren", sagte er.

In diesem Augenblick kam die Mutter mit einem Schlüsselkörbchen am Arm zur Tür herein.

„Herr Werner", sagte sie, als sie Reinhard erblickte.

„Ein ebenso lieber wie unerwarteter Gast."

Und nun begann die Unterhaltung mit Fragen und Antworten. Die Frauen setzten sich an ihre Arbeit und während Reinhard die für ihn bereiteten Erfrischungen genoss, hatte Erich seinen soliden Meerschaumkopf[2] angebrannt und saß dampfend und diskutierend an seiner Seite.

Am andern Tage musste Reinhard mit ihm hinaus auf die Äcker, in die Weinberge, in den Hopfengarten[3] und in die Spritfabrik[4].

Es war alles gut geordnet.

Die Leute, welche auf dem Feld und bei den Kesseln[5] arbeiteten, hatten alle ein gesundes und zufriedenes Aussehen.

---

1. **heimisch machen:** sich wie zu Hause fühlen
2. **r Meerschaumkopf:** r Pfeifenkopf
3. **r Hopfengarten:** r Garten mit Pflanzen zum Bierbrauen
4. **e Spritfabrik:** e Alkoholbrennerei
5. **r Kessel:** großer Topf

Zu Mittag kam die Familie im Gartensaal zusammen und der Tag wurde dann, je nach Zeit der Gastgeber, mehr oder minder gemeinschaftlich verlebt.

Nur die Stunden vor dem Abendessen, wie auch die ersten des Vormittags, blieb Reinhard arbeitend auf seinem Zimmer.

Er hatte seit Jahren die im Volk lebenden Reime und Lieder gesammelt, wo auch immer er sie aufschnappen[1] konnte, und ging nun daran seinen Schatz zu ordnen und womöglich mit neuen Aufzeichnungen aus der Umgegend zu vermehren.

Elisabeth war zu jeder Zeit sanft und freundlich.

Erichs immer gleichbleibende Aufmerksamkeit nahm sie mit einer fast demütigen Dankbarkeit auf und Reinhard dachte mitunter, das heitere Kind von einst habe wohl eine weniger stille Frau versprochen.

Seit dem zweiten Tage seines Besuchs pflegte er abends einen Spaziergang an dem Ufer des Sees zu machen[2]. Der Weg führte dicht unter dem Garten vorbei. Am Ende desselben stand eine Bank unter hohen Birken. Die Mutter hatte sie die Abendbank benannt, weil man von diesem Platz aus am Abend den Sonnenuntergang sehen konnte.

Von einem Spaziergang auf diesem Weg kehrte Reinhard eines Abends zurück. Da wurde er vom Regen überrascht.

Er suchte Schutz unter einer am Wasser stehenden Linde, aber die schweren Tropfen fielen bald durch die Blätter.

Durchnässt, wie er war, ergab er sich darein[3] und setzte langsam seinen Rückweg fort. Es war fast dunkel, der Regen fiel immer dichter.

Als er sich der Abendbank näherte, glaubte er zwischen den schimmernden Birkenstämmen eine weiße Frauengestalt zu erkennen. Sie stand unbeweglich und, wie er beim Näherkommen zu erkennen meinte, zu ihm hingewandt, als wenn sie jemanden erwarte. Er glaubte, es sei Elisabeth.

---

1. **aufschnappen:** bekommen
2. **zu machen pflegen:** etwas gewöhnlich machen
3. **sich darein ergeben:** etwas akzeptieren

Als er aber rascher zuschritt[1], um sie zu erreichen und dann mit ihr zusammen durch den Garten ins Haus zurückzukehren, wandte sie sich langsam ab und verschwand in die dunklen Seitengänge.

Er konnte das nicht erklären. Er war aber fast zornig auf Elisabeth, und dennoch zweifelte er, ob sie es gewesen sei. Aber er scheute sich[2], sie danach zu fragen, ja, er ging bei seiner Rückkehr nicht in den Gartensaal, nur um Elisabeth nicht etwa durch die Gartentür hereintreten zu sehen.

Meine Mutter hat's gewollt

Einige Tage nachher, es ging schon gegen Abend zu, saß die Familie, wie gewöhnlich um diese Zeit, im Gartensaal zusammen. Die Türen standen offen, die Sonne war schon hinter den Wäldern jenseits des Sees.

Reinhard wurde um das Vorlesen einiger Volkslieder gebeten, welche er am Nachmittag von einem auf dem Lande wohnenden Freunde geschickt bekommen hatte.

Er ging auf sein Zimmer und kam gleich darauf mit einer Papierrolle zurück, welche aus einzelnen sauber geschriebenen Blättern zu bestehen schien.

Man setzte sich an den Tisch, Elisabeth an Reinhards Seite. „Wir lesen auf gut Glück", sagte er, „ich habe sie selber noch nicht durchgesehen."

Elisabeth rollte das Manuskript auf.

„Hier sind Noten", sagte sie, „das musst du singen, Reinhard." Und dieser las nun zuerst einige Tiroler Schnaderhüpferl[3], indem er beim Lesen manchmal die lustige Melodie mit halber Stimme anklingen ließ.

Eine allgemeine Heiterkeit überfiel[4] die kleine Gesellschaft.

1. **zuschreiten:** gehen
2. **sich scheuen:** nicht wollen
3. **s Schnaderhüpferl:** lustiges bayerisches Lied
4. **überfallen:** *hier,* ergreifen

„Wer hat denn aber die schönen Lieder gemacht?" fragte Elisabeth.

„Ei", sagte Erich, „das hört man den Dingern schon an: Schneidergesellen und Friseure und derlei luftiges Gesindel[1]."

Reinhard sagte: „Sie werden gar nicht gemacht. Sie wachsen, sie fallen aus der Luft, sie fliegen über Land hierhin und dorthin und werden an tausend Stellen zugleich gesungen. Unser eigenstes Tun und Leiden finden wir in diesen Liedern. Es ist, als ob wir alle an ihnen mitgeholfen hätten."

Er nahm ein anderes Blatt:

„Ich stand auf hohen Bergen..."

„Das kenne ich!" rief Elisabeth. „Stimme nur an[2], Reinhard, ich will dir helfen."

Und nun sangen sie jene Melodie, die so rätselhaft ist, dass man nicht glauben kann, sie sei von Menschen erdacht worden. Elisabeth mit ihrer etwas verdeckten Altstimme und Reinhard mit seinem wohlklingenden Tenor.

Ich stand auf hohen Bergen,
sah runter ins tiefe Tal...

Die Mutter saß inzwischen eifrig an ihrer Näherei.

Erich hatte die Hände ineinander gelegt und hörte andächtig zu. Als das Lied zu Ende war, legte Reinhard das Blatt schweigend beiseite.

Vom Ufer des Sees herauf kam durch die Abendstille das Geläute der Herdenglocken[3]. Sie horchten unwillkürlich.

Da hörten sie eine klare Knabenstimme singen:

Ich stand auf hohen Bergen
Und sah ins tiefe Tal...

Reinhard lächelte: „Hört ihr es wohl? So geht's von Mund zu Mund."

1. s luftiges Gesindel: abwertend für Personen
2. anstimmen: zu singen beginnen
3. e Herdenglocken: *Pl.*, Glocken, die die Tiere um den Hals haben

„Es wird oft in dieser Gegend gesungen", sagte Elisabeth.

„Ja", sagte Erich, „es ist der Hirtenkaspar. Er treibt die Kühe heim."

Sie horchten noch eine Weile, bis das Geläute oben hinter den Wirtschaftsgebäuden verschwunden war.

„Das sind Urtöne[1]", sagte Reinhard; „sie schlafen in Waldesgründen. Gott weiß, wer sie gefunden hat."

Er zog ein neues Blatt heraus.

Es war schon dunkler geworden. Ein roter Abendschein lag wie Schaum auf den Wäldern jenseits des Sees.

Reinhard rollte das Blatt auf, Elisabeth legte an der einen Seite ihre Hand darauf und sah mit hinein. Dann las Reinhard:

Meine Mutter hat's gewollt,
den andern ich nehmen sollt.
Was ich zuvor besessen,
mein Herz sollt es vergessen.
Das hat es nicht gewollt.

Meine Mutter klag ich an,
sie hat nicht wohl getan.
Was sonst in Ehren stünde,
nun ist es worden Sünde.
Was fang ich an?

Für all mein Stolz und Freud
gewonnen hab ich Leid.
Ach, wär' das nicht geschehen!
Ach, könnt ich betteln gehen
über die braune Heid!

Während des Lesens hatte Reinhard ein unmerkliches Zittern des Papiers empfunden. Als er zu Ende war, schob Elisabeth leise ihren Stuhl zurück und ging schweigend in den Garten hinab.

---

1. e Urtöne: *Pl.*, ursprüngliche Töne

37

Ein Blick der Mutter folgte ihr. Erich wollte nachgehen. Doch die Mutter sagte: „Elisabeth hat draußen zu tun."

So unterblieb es.

Draußen aber legte sich der Abend mehr und mehr über Garten und See und die Nachtschmetterlinge schossen surrend an den offenen Türen vorüber[1], durch welche der Duft der Blumen und Sträucher immer stärker hereindrang[2].

Vom Wasser herauf kam das Geschrei der Frösche, unter den Fenstern schlug[3] eine Nachtigall, tiefer im Garten eine andere. Der Mond sah über die Bäume.

Reinhard blickte noch eine Weile auf die Stelle, wo Elisabeths feine Gestalt zwischen den Laubgängen verschwunden war, dann rollte er sein Manuskript zusammen, grüßte die Anwesenden und ging durchs Haus an das Wasser hinab.

Die Wälder standen schweigend und warfen ihr Dunkel weit auf den See hinaus, während die Mitte desselben in schwüler Mondesdämmerung lag.

Mitunter ging ein leises Säuseln durch die Bäume, aber es war kein Wind, es war nur das Atmen der Sommernacht.

Reinhard ging immer am Ufer entlang.

Einen Steinwurf[4] entfernt vom Land konnte er eine weiße Wasserlilie erkennen. Auf einmal bekam er Lust, sie aus der Nähe zu sehen. Er warf seine Kleider ab[5] und stieg ins Wasser. Es war flach, scharfe Pflanzen und Steine schnitten ihn an den Füßen und er kam immer nicht in die zum Schwimmen nötige Tiefe.

Dann war plötzlich der Boden unter ihm weg, die Wasser quirlten über ihm zusammen und es dauerte eine Zeitlang, bevor er wieder auf die Oberfläche kam.

Nun bewegte er Hände und Füße und schwamm im Kreise

1. **vorüberschießen:** schnell vorbeifliegen
2. **hereindringen:** hereinkommen
3. **schlagen:** *hier,* singen
4. **einen Steinwurf:** nah
5. **er warf seine Kleider ab:** er zog sich aus

umher, bis er die Stelle erkannte, von wo er ins Wasser gegangen war. Bald sah er auch die Lilie wieder; sie lag einsam zwischen den großen blanken Blättern.

Er schwamm langsam hinaus und hob mitunter die Arme aus dem Wasser, dass die herabrieselnden Tropfen im Mondlicht blitzten, aber es war, als ob die Entfernung zwischen ihm und der Blume dieselbe bliebe. Nur das Ufer lag, wenn er sich umblickte, in immer ungewisserer Entfernung hinter ihm. Er gab aber sein Unternehmen nicht auf, sondern schwamm kräftig in derselben Richtung fort.

Endlich war er der Blume so nahe gekommen, dass er die silbernen Blätter deutlich im Mondlicht unterscheiden konnte. Zugleich aber fühlte er sich wie in einem Netze verstrickt[1].

Die glatten Stängel langten vom Grunde herauf[2] und rankten sich an seine nackten Glieder.

Das unbekannte Wasser lag schwarz um ihn her. Hinter sich hörte er das Springen eines Fisches.

Es wurde ihm plötzlich so unheimlich in dem fremden Element, dass er mit Gewalt das Gestrick der Pflanzen zerriss und in atemloser Hast dem Lande zuschwamm.

Als er von hier auf den See zurückblickte, lag die Lilie wie vorher fern und einsam über der dunkeln Tiefe.

Er kleidete sich an und ging langsam nach Hause zurück.

Als er aus dem Garten in den Saal trat, fand er Erich und die Mutter in den Vorbereitungen einer kleinen Geschäftsreise, welche am anderen Tag vor sich gehen[3] sollte.

„Wo sind denn Sie so spät in der Nacht gewesen?" rief ihm die Mutter entgegen.

„Ich?" erwiderte er, „ich wollte die Wasserlilie besuchen. Es ist aber nichts daraus geworden."

1. **verstrickt:** gefangen
2. **herauflangen:** heraufkommen
3. **vor sich gehen:** stattfinden

„Das versteht wieder einmal kein Mensch!" sagte Erich. „Was tausend[1] hattest du denn mit der Wasserlilie zu tun?"

„Ich habe sie früher einmal gekannt", sagte Reinhard, „es ist aber schon lange her."

Elisabeth

Am folgenden Nachmittag wanderten Reinhard und Elisabeth jenseits des Sees, bald durch den Wald, bald auf dem hohen vorspringenden Uferrand.

Elisabeth hatte von Erich den Auftrag erhalten, während seiner und der Mutter Abwesenheit Reinhard mit den schönsten Aussichten der nächsten Umgegend, namentlich von der andern Uferseite auf den Hof selber, bekannt zu machen.

Nun gingen sie von einem Punkt zum andern.

Endlich wurde Elisabeth müde und setzte sich in den Schatten überhängender Zweige, Reinhard stand ihr gegenüber an einen Baumstamm gelehnt. Da hörte er tiefer im Walde den Kuckuck rufen und es kam ihm plötzlich so vor, dies alles sei schon einmal ebenso gewesen.

Er sah sie seltsam lächelnd an. „Wollen wir Erdbeeren suchen?" fragte er.

„Es ist keine Erdbeerzeit", sagte sie.

„Sie wird aber bald kommen."

Elisabeth schüttelte schweigend den Kopf. Dann stand sie auf und beide setzten ihre Wanderung fort. Und wie sie so an seiner Seite ging, wandte sein Blick sich immer wieder nach ihr hin, denn sie ging so schön, als wenn sie von ihren Kleidern getragen würde.

Er blieb oft unwillkürlich einen Schritt zurück, um sie ganz und voll ins Auge fassen zu können.

So kamen sie an einen freien, heidebewachsenen Platz mit einer weit ins Land reichenden Aussicht.

Reinhard bückte sich und pflückte etwas von den am Boden

---

1. **was tausend:** was zum Teufel

wachsenden Kräutern. Als er wieder aufsah, trug sein Gesicht den Ausdruck leidenschaftlichen Schmerzes.

„Kennst du diese Blume?" sagte er.

Sie sah ihn fragend an. „Es ist eine Erika. Ich habe sie oft im Wald gepflückt."

„Ich habe zu Hause ein altes Buch", sagte er, „ich pflegte sonst allerlei Lieder und Reime hineinzuschreiben, es ist aber lange nicht mehr geschehen. Zwischen den Blättern[1] liegt auch eine Erika, aber es ist nur eine verwelkte. Weißt du, wer sie mir gegeben hat?"

Sie nickte stumm, aber sie schlug die Augen nieder[2] und sah nur auf das Kraut, das er in der Hand hielt.

So standen sie lange. Als sie die Augen gegen ihn aufschlug, sah er, dass sie voll Tränen waren.

„Elisabeth", sagte er, „hinter jenen blauen Bergen liegt unsere Jugend. Wo ist sie geblieben?"

Sie sprachen nichts mehr, sie gingen stumm nebeneinander zum See hinab.

Die Luft war schwül, im Westen stieg schwarzes Gewölk[3] auf.

„Es wird Gewitter geben", sagte Elisabeth, indem sie ihren Schritt beschleunigte.

Reinhard nickte schweigend und beide gingen rasch am Ufer entlang, bis sie ihren Kahn[4] erreicht hatten.

Während der Überfahrt ließ Elisabeth ihre Hand auf dem Rand des Kahnes ruhen. Er blickte beim Rudern zu ihr hinüber, sie aber sah an ihm vorbei in die Ferne.

So glitt sein Blick herunter und blieb auf ihrer Hand und diese blasse Hand verriet ihm, was ihr Antlitz ihm verschwiegen hatte. Er sah auf ihr jenen feinen Ausdruck geheimen Schmerzes, der sich so gern schönen Frauenhände bemächtigt[5], die nachts auf krankem Herzen liegen.

1. e Blätter: *Pl.*, *hier*, Buchseiten
2. die Augen niederschlagen: nach unten schauen
3. s Gewölk: e Wolken, *Pl.*
4. r Kahn: s Boot
5. sich bemächtigen: in Besitz bringen

41

Als Elisabeth sein Auge auf ihrer Hand ruhen fühlte, ließ sie sie langsam über Bord ins Wasser gleiten[1]. 🎧

Auf dem Hof angekommen, trafen sie vor dem Herrenhaus einen Scherenschleiferkarren[2].

Ein Mann mit schwarzen, niederhängenden Locken trat emsig das Rad und summte eine Zigeunermelodie zwischen den Zähnen, während ein angebundener Hund schnaufend daneben lag.

Auf dem Hausflur stand in Lumpen gehüllt ein Mädchen mit einem feinen, aber verstörten Gesichtchen und streckte bettelnd die Hand zu Elisabeth aus.

Reinhard griff in seine Tasche, aber Elisabeth kam ihm zuvor und schüttete hastig den ganzen Inhalt ihrer Geldbörse in die offene Hand der Bettlerin.

Dann wandte sie sich eilig ab und Reinhard hörte, wie sie schluchzend die Treppe hinaufging.

Er wollte sie aufhalten, aber er besann sich[3] und blieb an der Treppe zurück

Das Mädchen stand noch immer auf dem Flur, unbeweglich, das empfangene Almosen in der Hand.

„Was willst du noch?" fragte Reinhard.

Sie fuhr zusammen[4]. „Ich will nichts mehr", sagte sie. Dann wandte sie den Kopf nach ihm zurück, starrte ihn mit den verirrten Augen an[5] und ging dann langsam zur Tür.

Er rief einen Namen aus, aber sie hörte es nicht mehr.

Mit gesenktem Haupt, mit über der Brust gekreuzten Armen schritt sie den Hof hinab.

Ein altes Lied brauste ihm ins Ohr[6].

Sterben, ach sterben
soll ich allein!

1. **gleiten lassen**: langsam fallen lassen
2. **r Scherenschleiferkarren**: r Wagen mit einem Scherenschleifer
3. **sich besinnen**: überlegen
4. **zusammenfahren**: erschrecken
5. **anstarren**: fixieren
6. **brauste ihm ins Ohr**: kam ihm ins Ohr

Der Atem stand ihm für eine kurze Weile still, dann wandte er sich ab und ging auf sein Zimmer. Er setzte sich hin, um zu arbeiten, aber er hatte keine Gedanken dafür[1].

Nachdem er es eine Stunde lang vergebens versucht hatte, ging er ins Familienzimmer hinab.

Es war niemand da, nur kühle, grüne Dämmerung.

Auf Elisabeths Nähtisch lag ein rotes Band[2], das sie am Nachmittag um den Hals getragen hatte. Er nahm es in die Hand, aber es tat ihm weh und er legte es wieder hin.

Er hatte keine Ruhe, er ging an den See hinab und band den Kahn los. Er ruderte auf die andere Seite hinüber und ging noch einmal alle Wege, die er kurz vorher mit Elisabeth zusammen gegangen war.

Als er wieder nach Hause kam, war es dunkel. Auf dem Hof begegnete ihm der Kutscher, der die Wagenpferde auf die Wiese bringen wollte. Die Reisenden waren gerade zurückgekehrt.

Bei seinem Eintritt in den Hausflur hörte er Erich im Gartensaal auf und ab schreiten[3]. Er ging nicht zu ihm hinein.

Er stand einen Augenblick still und stieg dann leise die Treppe hinauf zu seinem Zimmer. Hier setzte er sich in den Lehnstuhl am Fenster. Er tat vor sich selbst[4], als wolle er die Nachtigall[5] hören, die unten in den Taxuswänden schlug[6], aber er hörte nur das Klopfen seines eigenen Herzens.

Unter ihm im Hause ging alles zur Ruhe. Die Nacht ging vorüber, er fühlte es nicht.

So saß er stundenlang da. Endlich stand er auf und lehnte sich ans offene Fenster. Der Nachttau[7] rieselte zwischen den Blättern, die Nachtigall hatte aufgehört zu schlagen. Allmählich wurde auch das tiefe Blau des Nachthimmels von Osten her durch einen blassgelben Schimmer verdrängt.

1. **er hatte keine Gedanken dafür:** er konnte sich nicht konzentrieren
2. **s Band:** s Halsband
3. **auf und ab schreiten:** hin und her gehen
4. **er tat vor sich selbst:** sich etwas vormachen
5. **e Nachtigall:** r Vogel, der nachts singt
6. **schlagen:** *hier,* singen
7. **r Nachttau:** e Feuchtigkeit der Nacht

Ein frischer Wind erhob sich und berührte Reinhards heiße Stirn. Die erste Lerche[1] stieg[2] jauchzend in die Luft.

Reinhard kehrte sich plötzlich um und trat an den Tisch.

Er suchte nach einem Bleistift und als er diesen gefunden hatte, setzte er sich hin und schrieb damit einige Zeilen auf einen weißen Bogen[3] Papier. Nachdem er hiermit fertig war, nahm er Hut und Stock und, das Papier zurücklassend, öffnete er vorsichtig die Tür und stieg in den Flur hinab.

Die Morgendämmerung ruhte noch in allen Winkeln.

Die große Hauskatze dehnte sich auf der Strohmatte und sträubte[4] den Rücken gegen seine Hand, die er ihr gedankenlos entgegenhielt.

Draußen im Garten aber priesterten[5] schon die Sperlinge[6] von den Zweigen und sagten es allen, dass die Nacht vorbei sei.

Da hörte er oben im Hause eine Tür gehen. Es kam die Treppe herunter und als er aufsah, stand Elisabeth vor ihm.

Sie legte die Hand auf seinen Arm, sie bewegte die Lippen, aber er hörte keine Worte.

„Du kommst nicht wieder", sagte sie endlich. „Ich weiß es, lüge nicht! Du kommst nie wieder."

„Nie", sagte er.

Sie ließ die Hand sinken und sagte nichts mehr.

Er ging über den Flur der Tür zu, dann wandte er sich noch einmal um. Sie stand bewegungslos an derselben Stelle und sah ihn mit toten Augen an. Er tat einen Schritt vorwärts und streckte die Arme nach ihr aus. Dann kehrte er sich gewaltsam ab und ging zur Tür hinaus.

1. e Lerche: r Vogelart
2. steigen: *hier,* fliegen
3. r Bogen: s Blatt Papier
4. sträuben: sich drücken
5. priestern: zwitschern
6. r Sperling: r Vogelart

Draußen lag die Welt im frischen Morgenlicht, die Tauperlen, die in den Spinngeweben hingen, blitzten in den ersten Sonnenstrahlen. Er sah nicht rückwärts.

Er wanderte rasch hinaus, und mehr und mehr versank hinter ihm das stille Gehöft[1], und vor ihm auf stieg[2] die große, weite Welt.

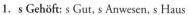

Der Alte

Der Mond schien nicht mehr durch die Fensterscheiben, es war dunkel geworden.

Der Alte aber saß noch immer mit gefalteten Händen in seinem Lehnstuhl und blickte vor sich hin in den Raum des Zimmers. Allmählich verzog sich vor seinen Augen die schwarze Dämmerung um ihn her zu einem breiten, dunklen See.

Ein schwarzes Gewässer legte sich hinter das andere, immer tiefer und ferner, und auf dem letzten, so fern, dass die Augen des Alten sie kaum erreichten, schwamm einsam zwischen breiten Blättern eine weiße Wasserlilie.

Die Stubentür ging auf und ein heller Lichtstrahl fiel ins Zimmer. „Es ist gut, dass Sie kommen, Brigitte", sagte der Alte. „Stellen Sie das Licht nur auf den Tisch."

Dann rückte er auch den Stuhl zum Tisch, nahm eins der aufgeschlagenen Bücher und vertiefte sich in Studien, an denen er einst die Kraft seiner Jugend geübt hatte.

---

1. **s Gehöft:** s Gut, s Anwesen, s Haus
2. **vor ihm auf stieg:** vor ihm öffnete sich

DIE REGENTRUDE[1]

Dürre[2]

Seit hundert Jahren hatte es nicht mehr einen so heißen Sommer gegeben. Man konnte fast kein Grün mehr sehen. Zahme und wilde Tiere lagen verdurstet auf den Feldern.

Es war an einem Vormittag. Die Dorfstraßen waren leer. Wer konnte, war ins Haus geflüchtet. Selbst die Dorfkläffer[3] hatten sich verkrochen. Nur der dicke Wiesenbauer stand breitbeinig in der Toreinfahrt seines großen Hauses und rauchte schwitzend seine Pfeife. Dabei schaute er schmunzelnd[4] einer großen Fuhre Heu[5] entgegen, die eben von seinen Knechten in die Scheune gefahren wurde.

Er hatte vor Jahren eine weite Fläche sumpfigen Wiesenlandes um einen geringen Preis erworben und die letzten dürren Jahre, welche auf den Feldern seiner Nachbarn das Gras verbrannten, hatten ihm die Speicher mit duftendem Heu und den Kasten[6] mit blanken Kronentalern[7] gefüllt.

So stand er da und rechnete, was er bei den immer steigenden Preisen durch den Überschuss der Ernte verdienen könne.

„Sie kriegen alle nichts", murmelte[8] er, indem er zwischen den Nachbarsgehöften[9] hindurch in die flimmernde Ferne schaute. „Es gibt gar keinen Regen mehr in der Welt."

Dann ging er an den Wagen, der eben abgeladen wurde, zupfte eine Handvoll Heu heraus, hielt es an seine breite Nase und lächelte zufrieden.

In demselben Augenblick trat eine etwa fünfzigjährige Frau ins Haus. Sie trug ein schwarzseidenes Tuch, das sie um den Hals gesteckt hatte. Dadurch sah sie noch blasser und leidender aus.

1. **e Regentrude:** e Fee, die Regen macht
2. **e Dürre:** e Trockenheit
3. **r Dorfkläffer:** r Dorfhund
4. **schmunzelnd:** lächelnd
5. **e Fuhre Heu:** Wagen mit trockenem Gras
6. **r Kasten:** r Schrank, e Truhe
7. **r Kronentaler:** große Silbermünze
8. **murmeln:** leise reden
9. **s Nachbarsgehöft:** r Bauernhof des Nachbarn

„Guten Tag, Nachbar", sagte sie, indem sie dem Wiesenbauer die Hand reichte, „ist das eine Glut[1]! Die Haare brennen einem auf dem Kopf!"

„Lass brennen, Mutter Stine, lass brennen", erwiderte er, „seht nur den Wagen voller Heu an! Mir kann's[2] nicht schlecht gehen!"

„Ja, ja, Wiesenbauer, Ihr[3] könnt lachen, aber was soll aus uns andern werden, wenn das so weitergeht!"

Der Bauer drückte mit dem Daumen die Asche in seinen Pfeifenkopf und stieß ein paar mächtige[4] Dampfwolken in die Luft.

„Seht Ihr", sagte er, „das kommt von der Überklugheit[5]. Ich hab's ihm immer gesagt, aber Euer Seliger[6] hat's immer besser wissen wollen. Warum musste er all sein Tiefland vertauschen! Nun sitzt Ihr da mit den hohen Feldern, wo Eure Saat verdorrt und Euer Vieh verdurstet."

Die Frau seufzte. Der dicke Mann wurde plötzlich freundlich. „Aber, Mutter Stine", sagte er, „ich merke schon, dass Ihr etwas auf dem Herzen habt[7]!"

Die Witwe blickte zu Boden. „Ihr wisst wohl", sagte sie, „die fünfzig Taler, die Ihr mir geliehen habt, soll ich zu Johanni[8] zurückzahlen und der Termin ist vor der Tür."

Der Bauer legte seine fleischige Hand auf ihre Schulter.

„Nun macht Euch keine Sorge, Frau! Ich brauche das Geld nicht. Ich bin nicht der Mann, der aus der Hand in den Mund lebt[9]. Ihr könnt mir Eure Grundstücke dafür zum Pfand geben. Sie sind zwar nicht von den besten, aber mir sollen sie diesmal gut genug sein. Am Sonnabend könnt Ihr mit mir zum Gerichtshalter[10] fahren."

1. **e Glut**: e Hitze
2. **kann's**: kann es; *statt ,e'* steht ein Apostroph
3. **Ihr**: veraltete Anrede
4. **mächtig**: groß
5. **e Überklugheit**: wenn einer klüger sein will als die anderen
6. **r Selige**: verstorbener Ehemann
7. **etwas auf dem Herzen haben**: etwas wollen
8. **zu Johanni**: zum 24. Juni, Johannisnacht, (Sonnenwende 21. Juni)
9. **von der Hand in den Mund leben**: nichts sparen können
10. **r Gerichtshalter**: r Gerichtsbeamte

Die bekümmerte Frau atmete auf. „Es macht zwar wieder Kosten", sagte sie, „aber ich danke Euch doch dafür."

Der Wiesenbauer hatte seine kleinen, klugen Augen nicht von ihr gelassen. „Und", fuhr er fort, „weil wir hier nun einmal beisammen sind, so will ich Euch auch sagen, der Andrees, Euer Junge, ist hinter meine Tochter her[1]!"

„Du lieber Gott, Nachbar, die Kinder sind ja miteinander aufgewachsen!"

„Das mag sein, Frau. Wenn aber der Bursche[2] meint, er könne hier in die volle Wirtschaft[3] einheiraten, so hat er seine Rechnung ohne mich gemacht!"

Die schwache Frau richtete sich ein wenig auf und sah ihn mit fast zürnenden Augen an. „Was habt Ihr denn an meinem Andrees auszusetzen?" fragte sie.

„Ich an Eurem Andrees, Frau Stine? – Auf der Welt gar nichts! Aber" – und er strich sich mit der Hand über die silbernen Knöpfe seiner roten Weste – „meine Tochter ist eben meine Tochter und des Wiesenbauers Tochter kann es besser haben. Für dies Jahr ist keine Aussicht, dass Ihr eine Ernte in die Scheuer[4] bekommt. Und so geht's mit Eurer Wirtschaft immer weiter rückwärts."

Die Regentrude schläft

Die Frau war in tiefes Sinnen versunken[5]. Sie schien die letzten Worte kaum gehört zu haben.

„Ja", sagte sie, „Ihr habt vielleicht Recht, die Regentrude muss eingeschlafen sein, aber – sie kann geweckt werden!"

„Die Regentrude?" wiederholte der Bauer. „Glaubt Ihr auch an das Gerede?"

1. **ist hinter der Tochter her:** macht ihr den Hof
2. **r Bursche:** junger Mann
3. **e Wirtschaft:** r Haus und Hof
4. **e Scheuer:** e Scheune
5. **in tiefes Sinnen versunken:** nachdenken

„Kein Gerede, Nachbar!" erwiderte sie geheimnisvoll. „Meine Urahne[1] hat sie, als sie jung war, selber einmal aufgeweckt. Sie wusste auch das Sprüchlein noch und hat es mir öfters vorgesagt, aber ich habe es seitdem längst vergessen."

Der dicke Mann sagte lachend: „Nun, Mutter Stine, so setzt Euch hin und erinnert Euch an Euer Sprüchlein. Ich verlasse mich auf mein Barometer und das steht seit acht Wochen auf Schönwetter! Aber wenn Ihr innerhalb vierundzwanzig Stunden Regen schafft, dann –!"

Er hielt inne und paffte ein paar dicke Rauchwolken vor sich hin.

„Was dann, Nachbar?" fragte die Frau.

„Dann – – dann – zum Teufel, ja, dann soll Euer Andrees meine Maren freien[2]!"

In diesem Augenblick öffnete sich die Tür des Wohnzimmers und ein schönes schlankes Mädchen mit rehbraunen Augen kam heraus.

„Topp, Vater", rief sie aus, „das soll gelten[3]!"

„Gut, Maren, ich stehe zu meinem Wort!" sagte der Wiesenbauer und zog sich in sein Wohnzimmer zurück, um die Rechnungen zu überprüfen.

Maren trat indes an der andern Seite der Dorfstraße mit Mutter Stine in deren Stübchen[4].

„Aber Kind", sagte die Witwe, indem sie ihr Spinnrad aus der Ecke holte, „kennst du das Sprüchlein für die Regenfrau?"

„Ich?" fragte das Mädchen erstaunt, „ich dachte, Ihr selber würdet Euch noch erinnern."

Frau Stine schüttelte den Kopf. „Die Urahne ist früh gestorben. Das aber weiß ich noch gut, wenn wir damals große Dürre hatten, wie eben jetzt, und uns dabei mit der Saat oder dem Viehzeug Unglück geschah, dann pflegte sie ganz heimlich zu sagen: ‚Das

1. e Urahne: e Vorfahrin
2. freien: heiraten
3. gelten: gültig sein
4. s Stübchen: kleines Zimmer

tut der Feuermann[1] uns zum Schabernack[2], weil ich einmal die Regenfrau geweckt habe!"

„Der Feuermann?" fragte das Mädchen, „wer ist denn das nun wieder?"

Aber ehe sie noch eine Antwort erhalten konnte, war sie schon ans Fenster gesprungen und rief: „Oh Gott, Mutter, da kommt der Andrees. Seht nur, wie bestürzt[3] er aussieht!"

Die Witwe erhob sich von ihrem Spinnrad: „Allerdings, Kind", sagte sie, „siehst du denn nicht, was er auf dem Rücken trägt? Da ist schon wieder eins von den Schafen verdurstet."

Bald darauf trat der junge Bauer ins Zimmer und legte das tote Tier vor den Frauen auf den Boden. Die Frauen sahen mehr in sein Gesicht als auf die tote Kreatur. „Nimm dir's nicht so zu Herzen, Andrees!" sagte Maren. „Wir wollen die Regenfrau wecken und dann wird alles wieder gut werden."

„Die Regenfrau!" wiederholte er tonlos. „Ja, Maren, wer die wecken könnte!

Es ist aber auch nicht nur deswegen. Es ist mir etwas passiert draußen. So hört denn!

Ich wollte nach unsern Schafen sehen und ob das Wasser, das ich gestern Abend für sie hinaufgetragen hatte, noch nicht verdunstet sei. Als ich aber auf den Weideplatz kam, sah ich sogleich, dass der Wasserbehälter nicht mehr da war, wo ich ihn hingestellt hatte, und auch die Schafe waren nicht zu sehen. Um sie zu suchen, ging ich die Ackergrenze hinab bis an den Riesenhügel. Als ich auf die andre Seite kam, da sah ich sie alle liegen, keuchend[4], die Hälse lang auf die Erde gestreckt. Die arme Kreatur hier war schon krepiert. Daneben lag der Behälter umgestürzt. Die Tiere konnten das nicht getan haben. Hier musste eine böswillige Hand im Spiel sein."

„Kind, Kind", unterbrach ihn die Mutter, „wer sollte einer armen Witwe Leid zufügen wollen?"

---

1. **r Feuermann:** r Dämon, r Kobold
2. **r Schabernack:** r Streich, r Scherz
3. **bestürzt:** traurig
4. **keuchen:** schwer atmen

Der Feuermann

„Hört nur zu, Mutter, es geht noch weiter. Ich stieg auf den Hügel, aber kein Mensch war zu sehen. Die sengende[1] Glut lag wie alle Tage lautlos über den Feldern.

Da hörte ich auf einmal hinter mir von der andern Seite des Hügels her ein Gemurmel[2], wie wenn einer eifrig mit sich selber redet, und als ich mich umwandte, sah ich ein Männlein im feuerroten Rock[3] und roter Zipfelmütze unten zwischen dem Heidekraut auf und ab stapfen[4].

Ich erschrak, denn wo war dieser Kobold plötzlich hergekommen? – Auch sah er gar so grässlich[5] aus.

Ich war hinter den Dornbusch[6] getreten, der neben den Steinen aus dem Hügel wächst, und konnte von hier aus alles sehen, ohne selbst bemerkt zu werden.

Das Männlein war noch immer in Bewegung. Dann bückte es sich und riss ein Bündel versengten Grases aus dem Boden und begann so entsetzlich zu lachen, dass auf der andern Seite des Hügels die halbtoten Schafe aufsprangen und in wilder Flucht den Hügel hinunterjagten[7]. Das Männlein aber lachte noch gellender[8] und dabei begann es, von einem Bein auf das andre zu springen und dabei blitzten seine kleinen schwarzen Augen, dass aus ihnen Funken sprühten."

Die Witwe hatte leise die Hand des Mädchens gefasst. „Weißt du nun, wer der Feuermann ist?" sagte sie und Maren nickte.

„Das allergrauenhafteste aber", fuhr Andrees fort, „war seine Stimme. ‚Wenn sie es wüssten, wenn sie es wüssten die Bauerntölpel[9]!' schrie er und dann sang er mit seiner

---

1. **sengend:** sehr heiß
2. **s Gemurmel:** s Geflüster, leises Sprechen
3. **r Rock:** lange Jacke
4. **auf und ab stapfen:** hin und her gehen
5. **grässlich:** abstoßend, schrecklich
6. **r Dornbusch:** Busch mit Dornen
7. **hinunterjagen:** hinunterrennen
8. **gellend:** schreiend
9. **r Bauerntölpel:** dummer Mensch

schnarrenden, quäkenden Stimme ein seltsames Sprüchlein –
immer wieder von vorn nach hinten. Wartet nur, ich kann mich
wohl noch erinnern!"

Und nach einigen Augenblicken fuhr er fort:

„Dunst ist die Welle,
Staub ist die Quelle!"

Die Mutter ließ plötzlich ihr Spinnrad[1] stehen, das sie während
der Erzählung eifrig gedreht hatte, und sah ihren Sohn mit
gespannten Augen an. Der aber schwieg wieder.

Da fuhr aber Frau Stine mit unsicherer Stimme selbst fort:

„Stumm sind die Wälder,
Feuermann tanzet über die Felder!"

und Andrees setzte schnell hinzu:

„Nimm dich in acht!
Eh du erwacht,
Holt dich die Mutter
Heim in die Nacht!"

„Das ist das Sprüchlein der Regentrude!" rief die Mutter und
nun sprachen sie noch einmal zusammen:

„Dunst ist die Welle,
Staub ist die Quelle!
Stumm sind die Wälder,
Feuermann tanzet über die Felder!
Nimm dich in acht!
Eh du erwacht,
Holt dich die Mutter
Heim in die Nacht!"

1. s **Spinnrad:** s Gerät zum Faden spinnen

„Nun hat alle Not ein Ende!" rief Maren, „nun wecken wir die Regentrude! Morgen sind alle Felder wieder grün und übermorgen gibt's Hochzeit!"

Und mit glänzenden Augen erzählte sie dem Andrees, welches Versprechen ihr der Vater gegeben hatte.

„Kind", sagte die Witwe wieder, „weißt du denn auch den Weg zur Regentrude?"

„Nein, Mutter Stine, wisst Ihr denn auch den Weg nicht mehr?" – „Aber, Maren, es war ja die Urahne, die bei der Regentrude war. Von dem Weg hat sie mir niemals was erzählt."

„Nun, Andrees", sagte Maren und fasste den Arm des jungen Bauern, der indes mit gerunzelter Stirn vor sich hin starrte, „so sprich du! Du weißt ja sonst doch immer Rat!"

„Vielleicht weiß ich auch jetzt wieder einen", entgegnete er bedächtig[1]. „Ich muss heute Mittag den Schafen noch Wasser hinauftragen. Vielleicht kann ich den Feuermann noch einmal hinter dem Dornbusch belauschen[2]! Hat er das Sprüchlein verraten, wird er auch noch den Weg verraten."

Bald darauf befand sich Andrees mit dem Wasser droben auf dem Weideplatz.

Als er in die Nähe des Riesenhügels kam, sah er den Kobold schon von weitem auf einem der Steine sitzen und sich mit seinen fünf Fingern den roten Bart streichen.

Andrees wollte nach der Stelle abbiegen, wo noch immer der umgestürzte Zuber[3] lag. Aber da hörte er die Quäkstimme[4] des Kobolds hinter sich: „Ich dachte, du hättest mit mir zu reden!" Andrees kehrte sich um und trat ein paar Schritte zurück.

„Was hätte ich mit Euch zu reden", erwiderte er, „ich kenne Euch ja nicht."

1. **bedächtig:** nachdenklich
2. **belauschen:** heimlich hören
3. **r Zuber:** r Wasserbehälter
4. **e Quäkstimme:** kreischende Stimme

„Aber du möchtest den Weg zur Regentrude wissen?"

„Wer hat Euch denn das gesagt?"

„Mein kleiner Finger, und der ist klüger als mancher großer Kerl[1]."

Andrees nahm all seinen Mut zusammen und trat noch ein paar Schritte näher zu dem Männchen.

„Euer kleiner Finger ist vielleicht klug", sagte er, „aber den Weg zur Regentrude wird er doch nicht wissen, denn den wissen auch die allerklügsten Menschen nicht."

Der Kobold blähte sich[2] wie eine Kröte und sagte: „Du bist zu einfältig[3], Andrees. Wenn ich dir auch sagte, dass die Regentrude hinter dem großen Wald wohnt, würdest du doch nicht wissen, dass hinter dem Wald eine hohle Weide[4] steht."

Jetzt muss ich den Dummen spielen[5], dachte Andrees.

„Da habt Ihr recht", sagte er „das würde ich allerdings nicht wissen!"

„Und", fuhr der Kobold fort, „wenn ich dir auch sagte, dass hinter dem Wald die hohle Weide steht, so würdest du doch nicht wissen, dass in dem Baum eine Treppe zum Garten der Regenfrau hinabführt."

„Wie man sich doch verrechnen[6] kann!" rief Andrees. „Ich dachte, man könnte nur so geradewegs hineinspazieren."

„Und wenn du auch geradeswegs hineinspazieren könntest", sagte der Kobold, „so würdest du immer noch nicht wissen, dass dir Regentrude nur von einer reinen Jungfrau[7] geweckt werden kann."

„Nun gut", meinte Andrees, „da hilft es mir nichts. Da will ich nur gleich wieder nach Hause gehen."

Ein hinterlistiges Lächeln verzog den breiten Mund des Kobolds. „Willst du nicht erst dein Wasser in den Zuber gießen?" fragte er, „das schöne Viehzeug ist ja fast verdurstet."

„Da habt Ihr zum vierten Male recht!" erwiderte der Bursche und

1. **r Kerl:** großer Mann
2. **sich blähen:** anschwellen
3. **einfältig:** dumm
4. **e Weide:** ein Baum
5. **den Dummen spielen:** so tun, als ob man dumm sei
6. **sich verrechnen:** *hier,* falsch denken
7. **e Jungfrau:** junges unberührtes Mädchen

ging mit seinen Eimern um den Hügel herum. Als er aber das Wasser in den heißen Zuber goss, schlug es zischend in weißen Dampfwolken hoch in die Luft.

‚Auch gut,' dachte er, ‚morgen früh führe ich Maren zu der Regentrude. Die soll sie schon erwecken!'

Auf der andern Seite des Hügels aber war der Kobold von seinen Steinen aufgesprungen. Er warf seine rote Mütze in die Luft und schrie dabei mit seiner Quäkstimme: „Der Kindskopf[1], der Bauernlümmel[2]! dachte mich zu überlisten und weiß noch nicht, dass die Trude sich nur durch das richtige Sprüchlein wecken lässt. Und das Sprüchlein weiß keiner als Eckeneckepenn, und Eckeneckepenn, das bin ich!"

Der böse Kobold wusste nicht, dass er am Vormittag das Sprüchlein selbst verraten hatte.

Auf zur Regentrude!

Auf die Sonnenblumen, die vor Marens Kammer[3] im Garten standen, fiel gerade der erste Morgenstrahl, als sie das Fenster aufmachte und ihren Kopf in die frische Luft hinausstreckte.

Der Wiesenbauer, welcher nebenan im Alkoven[4] des Wohnzimmers schlief, musste davon erwacht sein: „Was machst du, Maren?" rief er mit schläfriger Stimme.

Das Mädchen wusste wohl, dass der Vater, wenn er von ihrem Plan erführe, sie nicht aus dem Hause lassen würde. Aber sie fasste sich[5] schnell. „Ich habe nicht schlafen können, Vater", rief sie zurück, „ich will mit den Leuten auf die Wiese. Es ist so schön frisch heute morgen."

„Du hast das nicht nötig, Maren", erwiderte der Bauer, „meine Tochter ist kein Dienstbote." Und nach einer Weile fügte er hinzu: „Na, wenn's dir Spaß macht! Aber sei zur rechten Zeit wieder daheim,

---

1. r Kindskopf: kleines Kind
2. r Bauernlümmel: grober Bursche
3. e Kammer: s Zimmer
4. r Alkoven: e Bettnische
5. sich fassen: die Kontrolle über sich haben

bevor die große Hitze kommt." Damit warf er sich auf die andre Seite, dass die Bettstelle[1] krachte, und bald hörte das Mädchen wieder das wohlbekannte Schnarchen.

Vorsichtig öffnete sie ihre Kammertür. Als sie durch die Torfahrt ins Freie ging, dachte sie: „Es ist doch schlecht, dass ich so lügen musste, aber – und sie seufzte dabei ein wenig – was tut man nicht alles für seinen Schatz!"

Drüben stand schon Andrees in seinem Sonntagsstaat[2] und wartete auf sie. „Weißt du dein Sprüchlein noch?" rief er ihr entgegen.

„Ja, Andrees! Und weißt du noch den Weg?" Er nickte nur.

„So lass uns gehen!"

Da kam aber noch Mutter Stine aus dem Haus und steckte ihrem Sohn ein mit Met[3] gefülltes Fläschchen in die Tasche. „Der ist noch von der Urahne", sagte sie, „sie tat immer sehr geheim und kostbar damit, der wird euch gut tun in der Hitze!"

Der Weg der beiden führte hinter dem Dorf über eine weite Heide[4]. Danach kamen sie in den großen Wald. Aber die Blätter der Bäume lagen meist verdorrt am Boden, so dass die Sonne überall hindurchblitzte. Sie wurden fast geblendet von den wechselnden Lichtern.

Als sie eine geraume Zeit[5] zwischen den hohen Stämmen der Eichen[6] und Buchen[7] fortgeschritten waren, fasste das Mädchen die Hand des jungen Mannes.

„Was hast du Maren?« fragte er. „Weißt du denn auch noch unser Sprüchlein?" fragte sie besorgt.

„Natürlich, Maren!

Dunst ist die Welle,
Staub ist die Quelle!«

1. e Bettstelle: s Bett
2. r Sonntagsstaat: r Sonntagsanzug
3. r Met: r Honigwein
4. e Heide: karge Landschaft
5. geraume Zeit: eine Weile
6. e Eiche: ein großer Laubbaum
7. e Buche: ein Laubbaum

Und als er einen Augenblick zögerte, sagte sie rasch:

„Stumm sind die Wälder,
Feuermann tanzet über die Felder!"

Endlich kamen sie aus dem Walde und dort, ein paar Schritte vor ihnen, stand auch schon der alte Weidenbaum.

Der mächtige Stamm war ganz ausgehöhlt und das Dunkel, das darin herrschte, schien tief in den Abgrund der Erde zu führen. Andrees stieg zuerst allein hinab, währen Maren sich an die Höhlung des Baumes lehnte und versuchte ihm nachzublicken. Aber bald sah sie nichts mehr von ihm, nur das Geräusch des Hinabsteigens schlug noch an ihr Ohr[1].

Sie begann Angst zu haben.

Oben um sie her war es so einsam und von unten hörte sie bald auch keinen Laut[2] mehr.

Sie steckte den Kopf tief in die Höhlung und rief: „Andrees, Andrees!"

Aber es blieb alles still, und noch einmal rief sie: „Andrees!" – Da nach einiger Zeit war es ihr, als höre sie ihn von unten wieder heraufkommen, und allmählich erkannte sie auch die Stimme des jungen Mannes, der ihren Namen rief.

„Es führt eine Treppe hinab", sagte er, als er wieder oben war, „aber sie ist steil und ausgebröckelt[3], und wer weiß, wie tief der Abgrund nach unten ist!" Maren erschrak.

„Fürchte dich nicht", sagte er, „ich trage dich. Ich habe einen sichern Fuß."

Dann hob er das schlanke Mädchen auf seine breite Schulter und als sie die Arme fest um seinen Hals gelegt hatte, stieg er behutsam[4] mit ihr in die Tiefe.

Dichte Finsternis[5] umgab sie, aber Maren atmete doch auf,

1. **ans Ohr schlagen:** hören
2. **r Laut:** s Geräusch
3. **ausgebröckelt:** mit Löchern
4. **behutsam:** vorsichtig
5. **e Finsternis:** e Dunkelheit

57

während sie so Stufe um Stufe wie in einem gewundenen Schneckengange hinabgetragen wurde, denn es war kühl hier im Inneren der Erde.

Kein Laut von oben drang zu ihnen herab[1]. Nur einmal hörten sie dumpf aus der Ferne die unterirdischen Wasser rauschen, die vergeblich zum Licht heraufstrebten[2].

„Was war das?" flüsterte das Mädchen.

„Ich weiß nicht, Maren."

„Aber gibt es denn noch kein Ende?"

„Es scheint fast nicht."

„Wenn dich der Kobold nur nicht betrogen hat!"

„Ich denke nicht, Maren."

So stiegen sie tiefer und tiefer. Endlich sahen sie einen Schimmer von Sonnenlicht unter sich, der mit jedem Tritt leuchtender wurde. Zugleich aber drang auch eine erstickende Hitze zu ihnen herauf.

Unter der Erde

Als sie von der untersten Stufe endlich ins Freie[3] traten, sahen sie eine ganz unbekannte Gegend vor sich. Maren sah verwundert umher.

„Die Sonne scheint aber doch dieselbe zu sein!" sagte sie endlich.

„Kälter ist sie wenigstens nicht", meinte Andrees, indem er das Mädchen auf die Erde hob.

Sie befanden sich, auf einem breiten Steindamm[4], von dem aus eine Allee mit alten Weiden in die Ferne hinaus führte.

Sie überlegten nicht lange, sondern gingen zwischen den Reihen der Bäume entlang, als würde ihnen jemand den Weg weisen[5]. 🎧

Wenn sie nach der einen oder andern Seite blickten, so sahen sie

1. **herabdringen:** herunterkommen
2. **heraufstreben:** heraufkommen wollen
3. **ins Freie:** nach draußen
4. **r Steindamm:** r Steinwall
5. **den Weg weisen:** den Weg zeigen

in ein ödes[1], weites Tiefland. Es war voller Gräben und Vertiefungen und es schien, dass es nur aus einem endlosen Gewirr leerer Seen und Flüsse bestehe.

Ein beklemmender[2] Dunst wie von vertrocknetem Schilf erfüllte die Luft. Dabei herrschte zwischen den Schatten der einzelnen Bäume eine solche Glut, dass es den beiden Wanderern schien, als sähen sie kleine weiße Flammen über den staubigen Weg dahinfliegen. Andrees musste an die Funken denken, die die Augen des Kobolds versprüht hatten.

Einmal war es ihm sogar, als hörte er deutlich neben sich das tolle Springen der dünnen Koboldbeine.

Einmal war es links, einmal rechts an seiner Seite. Wenn er sich aber umdrehte, konnte er nichts sehen. Nur die glutheiße Luft zitterte flirrend und blendend vor seinen Augen. ‚Ja,' dachte er, indem er die Hand des Mädchens erfasste und beide mühsam vorwärts schritten, ‚schwer machst du's uns, aber Recht behältst du heute nicht!'

Sie gingen weiter und weiter. Der einförmige[3] Weg schien kein Ende zu nehmen.

Plötzlich blieb Maren stehen und lehnte sich mit geschlossenen Augen an den Stamm einer Weide. „Ich kann nicht weiter", murmelte sie, „die Luft ist wie Feuer."

Da dachte Andrees an das Metfläschchen, das sie bis dahin unberührt gelassen hatten.

Als er den Stöpsel[4] abzog, verbreitete sich ein Duft, als seien Tausende von Blumen erblüht, aus deren Kelchen[5] vor vielleicht mehr als hundert Jahren die Bienen den Honig zu diesem Trank zusammengetragen hatten.

Kaum hatten die Lippen des Mädchens den Rand der Flasche berührt, so schlug sie schon die Augen auf.

1. **öde:** verlassen
2. **beklemmend:** beängstigend
3. **einförmig:** monoton
4. **r Stöpsel:** r Verschluss
5. **r Kelch:** *hier,* e Blüte

„Oh", rief sie, „auf welcher schönen Wiese sind wir denn?" „Auf keiner Wiese, Maren, aber trink nur, es wird dich stärken!"

Als sie getrunken hatte, richtete sie sich auf und schaute mit hellen Augen um sich. „Trink auch einmal, Andrees", sagte sie.

„Aber das ist ein echter Tropfen!" rief Andrees, nachdem er auch gekostet hatte. „Mag der Himmel wissen, woraus die Urahne den gebraut[1] hat!"

Dann gingen sie gestärkt und lustig plaudernd[2] weiter.

Nach einer Weile aber blieb das Mädchen wieder stehen.

„Was hast du, Maren?" fragte Andrees.

„Oh, nichts, ich dachte nur –"

„Was denn, Maren?"

„Siehst du, Andrees! Mein Vater hat noch sein halbes Heu draußen auf den Wiesen und ich gehe hier und will Regen machen!"

„Dein Vater ist ein reicher Mann, Maren, aber wir andern haben unser bisschen Heu schon längst in der Scheuer und unsere Früchte noch alle auf den dürren Feldern."

„Ja, ja, Andrees, du hast wohl Recht, man muss auch an die anderen denken!"

Im Stillen aber dachte sie später bei sich selbst: ‚Maren, Maren, mach dir keine Flausen[3] vor. Du tust ja doch alles nur wegen deines Schatzes!'

So waren sie wieder eine Zeitlang weitergegangen, als das Mädchen plötzlich rief: „Was ist denn das? Wo sind wir denn? Da ist ja ein riesengroßer Garten!"

Und wirklich waren sie, ohne zu wissen wie, aus der einförmigen Weidenallee in einen großen Park gelangt.

Aus der weiten, versengten Rasenfläche wuchsen überall Gruppen hoher prachtvoller Bäume. Zwar war ihr Laub zum Teil abgefallen oder hing dürr und schlaff an den Zweigen, aber ihre Äste strebten noch zum Himmel und die starken Wurzeln kamen noch weit über die Erde hinaus.

---

1. **brauen:** Getränke herstellen
2. **plaudern:** reden
3. **e Flausen:** *Pl.*, Hirngespinste

🎧 Eine Menge von Blumen bedeckte den Boden, wie die beiden sie nie zuvor gesehen hatten. Alle diese Blumen aber waren welk und ohne Duft und schienen mitten in der höchsten Blüte von der tödlichen Glut getroffen zu sein.

„Wir sind am rechten Ort angekommen, denke ich!" sagte Andrees. Maren nickte. „Du musst nun hier zurückbleiben, bis ich wiederkomme."

„Gut", erwiderte er, indem er sich in den Schatten einer großen Eiche legte. „Das übrige ist nun deine Sache! Vergiss nur das Sprüchlein nicht und verrede dich[1] nicht dabei!"

So ging sie also allein über den weiten Rasen und unter den himmelhohen Bäumen weiter und bald sah Andrees nichts mehr von ihr.

Sie aber schritt weiter und weiter durch die Einsamkeit. Bald hörten die Baumgruppen auf und der Boden wurde tiefer. Sie erkannte wohl, dass sie sich in dem ausgetrockneten Bett eines Sees befand. Weißer Sand und Kiesel bedeckten den Boden, dazwischen lagen tote Fische und blinkten mit ihren Silberschuppen in der Sonne.

In der Mitte des Beckens sah sie einen grauen fremdartigen Vogel stehen. Er schien einem Reiher[2] ähnlich zu sein, doch war er so groß, dass sein Kopf, wenn er ihn aufrichtete, über den eines Menschen emporragen[3] musste. Jetzt hatte er den langen Hals zwischen den Flügel zurückgelegt und schien zu schlafen.

Maren fürchtete sich. Außer dem unbeweglichen Vogel war kein lebendes Wesen[4] sichtbar. Nicht einmal das Schwirren einer Fliege unterbrach hier die Stille.

Einen Augenblick lang wollte sie vor Angst nach ihrem Geliebten rufen, aber sie wagte es nicht, denn ihre eigne Stimme in dieser Öde zu hören, schien ihr noch schauerlicher als alles

---

1. **sich verreden:** beim Sprechen Fehler machen
2. **r Reiher:** großer Vogel mit langen Beinen
3. **emporragen:** hochreichen
4. **s Wesen:** e Kreatur

andre. So schaute sie geradeaus in die Ferne[1] und ging weiter, ohne nach rechts oder links zu sehen.

Der große Vogel rührte sich nicht, als sie mit leisem Schritt an ihm vorüberging. Nur für einen Augenblick blitzte es schwarz unter der weißen Augenhaut hervor.

Sie atmete auf.

Nachdem sie eine weite Strecke gegangen war, wurde das Seebett zur Rinne eines Baches, der unter einer breiten Lindengruppe durchführte. Das Geäst dieser mächtigen Bäume war so dicht, dass trotz des mangelhaften Laubes kein Sonnenstrahl hindurchdrang.

Maren ging in dieser Rinne[2] weiter. Die plötzliche Kühle um sie her, die hohen Wipfel der Bäume über ihr gaben ihr fast den Eindruck, als gehe sie durch eine Kirche.

Plötzlich aber wurden ihre Augen von einem hellen Licht getroffen. Die Bäume hörten auf und vor ihr erhoben sich graue Felsen, auf die die grellste Sonne niederbrannte.

Maren selbst befand sich nun in einem leeren sandigen Becken und suchte mit den Augen, wo wohl der Weg zwischen den Klippen[3] hinaufführte.

Maren weckt die Regentrude

Plötzlich aber erschrak sie, denn auf halber Höhe war da etwas, was nicht zu den Felsen gehören konnte, wenn es auch ebenso grau und starr war.

Sie erkannte bald, dass es ein Gewand[4] sei, welches in Falten eine ruhende Gestalt bedeckte.

Aufgeregt stieg sie näher heran. Da sah sie es deutlich. Es war eine schöne große Frauengestalt. Der Kopf lag tief auf die Felsen zurückgesunken, die blonden Haare, die bis zur Hüfte reichten, waren voller Staub und dürrem Laub.

1. **e Ferne:** e Weite
2. **e Rinne:** r Graben
3. **e Klippe:** r Fels
4. **s Gewand:** s Kleid

Maren betrachtete sie aufmerksam. Sie muss sehr schön gewesen sein, dachte sie, ehe diese Wangen so schlaff und diese Augen so eingesunken waren. Ach, und wie bleich ihre Lippen sind! Ob es denn wohl die Regentrude sein mag? – Aber die da schläft nicht! Das ist eine Tote! Oh, es ist entsetzlich einsam hier!

Das tapfere Mädchen hatte sich inzwischen bald gefasst. Es trat ganz dicht herzu, kniete nieder und beugte sich zu der Gestalt hinab. Dann nahm es all seinen Mut zusammen, legte seine frischen Lippen an das marmorblasse Ohr und sprach laut und deutlich:

„Dunst ist die Welle,
Staub ist die Quelle!
Stumm sind die Wälder,
Feuermann tanzt über die Felder!"

Da kam ein tiefer klagender Laut aus dem bleichen Munde hervor, doch das Mädchen sprach immer stärker und eindringlicher:

„Nimm dich in acht!
Eh du erwacht,
Holt dich die Mutter
Heim in der Nacht!"

Kaum hatte Maren diese Worte ausgesprochen, rauschte es sanft durch die Wipfel der Bäume und in der Ferne donnerte es leise wie von einem Gewitter. Zugleich aber kam von jenseits der Felsen ein greller Ton, der sich wie der Wutschrei eines bösen Tieres anhörte.

Als Maren hochblickte, stand die Gestalt der Trude hoch aufgerichtet vor ihr. „Was willst du?" fragte sie.

„Ach, Frau Trude", antwortete das Mädchen noch immer kniend. „Ihr habt so grausam lang geschlafen, dass alles Laub und alle Kreatur verdursten will!"

Die Trude sah sie mit weit aufgerissenen Augen an, als mühe sie sich[1], aus schweren Träumen zu kommen. Endlich fragte sie mit tonloser Stimme: „Fließt denn der Quell[2] nicht mehr aus den Felsen?"

„Nein, Frau Trude", erwiderte Maren.

„Kreist denn mein Vogel nicht mehr über dem See?"

„Er steht in der heißen Sonne und schläft."

„Weh!" klagte die Regenfrau. „So ist es höchste Zeit. Steh auf und folge mir, aber vergiss nicht den Krug[3], der dort zu deinen Füßen liegt!"

Maren tat, wie ihr gesagt wurde und beide stiegen nun an der Seite der Felsen nach oben. Noch größere Baumgruppen, noch wunderbarere Blumen kamen hier aus der Erde, aber auch hier war alles welk und ohne Duft. Sie gingen an der Rinne des Baches entlang. Langsam und schwankend schritt die Trude dem Mädchen voran, nur dann und wann blickte sie sich mit bekümmerten[4] Augen um.

Maren hatte den Eindruck, als bleibe ein grüner Schimmer auf dem Rasen, den die große Frau betreten hatte, und wenn die grauen Gewänder das dürre Gras berührten, rauschte es so seltsam.

Der Brunnen

„Regnet es denn schon, Frau Trude?" fragte Maren.

„Ach nein, Kind, erst musst du den Brunnen aufschließen!"

„Den Brunnen? Wo ist der denn?"

Sie waren eben aus einer Gruppe von Bäumen herausgetreten.

„Dort!" sagte die Trude und einige tausend Schritte vor ihnen sah Maren ein riesiges Bauwerk vor sich liegen.

Es war zackig und unregelmäßig aus grauem Gestein erbaut

---

1. **sich mühen:** sich anstrengen
2. **r Quell:** s Wasser
3. **r Krug:** s Gefäß
4. **bekümmerten:** sorgenvoll

und schien bis in den Himmel zu reichen, denn nach oben hinauf löste sich alles in Sonnenglanz auf.

Am Boden aber wurde die vorspringende Front überall von hohen spitzbogigen Tor- und Fensterhöhlen durchbrochen.

Eine Weile schritten sie gerade darauf zu, bis sie durch einen großen Fluss aufgehalten wurden, der das Gebäude umgab. Auch hier war jedoch das Wasser bis auf einen schmalen Faden verdunstet, der noch in der Mitte floss.

Ein Boot lag zerborsten[1] auf der trockenen Schlammdecke des Flussbetts.

„Schreite hindurch[2]!" sagte die Trude. „Über dich hat er keine Gewalt. Aber vergiss nicht, von dem Wasser zu schöpfen[3]. Du wirst es bald brauchen!"

Maren gehorchte und stieg das Ufer hinunter. Doch fast hätte sie den Fuß zurückgezogen, denn der Boden war hier so heiß, dass sie die Glut durch ihre Schuhe fühlte. ‚Sollen die Schuhe nur verbrennen!' dachte sie und schritt kräftig mit ihrem Krug weiter.

Plötzlich aber blieb sie entsetzt[4] stehen, denn neben ihr riss die trockene Schlammdecke auf und eine große braunrote Faust mit krummen Fingern fuhr daraus hervor und griff nach ihr.

„Mut!" hörte sie die Stimme der Trude hinter sich vom Ufer her rufen. Da erst stieß sie einen lauten Schrei aus und der Spuk[5] verschwand.

„Schließ die Augen!" hörte sie erneut die Trude rufen.

Und sie ging mit geschlossenen Augen weiter. Als sie aber fühlte, dass Wasser ihren Fuß berührte, bückte sie sich und füllte ihren Krug.

Dann stieg sie leicht und sicher am andern Ufer wieder hinauf. Als sie dem großen Gebäude näher kam, sah sie, dass es ein Schloss war und trat mit klopfendem Herzen durch eines der offenen Tore.

---

1. **zerborsten:** zerbrochen
2. **hindurchschreiten:** hindurchgehen
3. **schöpfen:** Wasser einfüllen
4. **entsetzt:** starr
5. **r Spuk:** s Schreckgespenst

Drinnen aber blieb sie am Eingang stehen. Das ganze Innere schien nur ein einziger unermesslich großer Raum zu sein.

Mächtige Säulen von Tropfsteinen[1] trugen in beinahe unabsehbarer Höhe eine seltsame Decke. Fast meinte Maren, es seien nichts als graue riesenhafte Spinngewebe[2], die überall zwischen den Säulen herabhingen.

Noch immer stand sie wie verloren an derselben Stelle und blickte vor sich hin, aber dieser ungeheure Raum schien außer nach der Front zu, von wo Maren eingetreten war, ganz ohne Grenzen zu sein. Säule hinter Säule erhob sich und wie sehr sie sich auch anstrengte, sie konnte nirgends ein Ende sehen.

Da blieb ihr Auge an einer Vertiefung im Boden haften[3].

Und siehe! Dort, ganz nah vor ihr, war der Brunnen! Auch den goldenen Schlüssel sah sie auf der Falltür[4] liegen.

Während sie darauf zuging, bemerkte sie, dass der Fußboden nicht mit Steinplatten, sondern überall mit vertrockneten Schilf- und Wiesenpflanzen bedeckt war. Aber sie wunderte sich jetzt schon über nichts mehr.

Nun stand sie am Brunnen. Der Schlüssel leuchtete ihr rotgolden in dem grellen Licht eines von außen hereinfallenden Sonnenstrahls entgegen, doch als sie gerade den Schlüssel ergreifen wollte, zog sie schnell die Hand zurück.

Der Schlüssel funkelte nicht so rot, weil er aus Gold war, sondern weil er von der Glut so rot war.

Ohne Zögern goss sie das Wasser aus ihrem Krug darüber, dass das Zischen des verdampfenden Wassers in den weiten Räumen widerhallte.

Dann schloss sie rasch den Brunnen auf. Ein frischer Duft stieg aus der Tiefe, als sie die Falltür hochhob und feiner feuchter Staub stieg wie ein zarter Nebel zwischen den Säulen empor.

Aufatmend ging Maren in der frischen Kühle umher.

Da sah sie zu ihren Füßen ein neues Wunder.

1. **r Tropfstein:** r Stein, der sich durch tropfendes Wasser bildet
2. **s Spinngewebe:** s Netz, von Spinnen gemacht
3. **blieb ihr Auge haften:** sie erblickte
4. **e Falltür:** horizontale Tür

Wie ein Hauch rieselte ein lichtes Grün über die verdorrte Pflanzendecke, die Halme richteten sich auf und bald ging das Mädchen durch eine Fülle[1] sprießender Blätter und Blumen. Am Fuß der Säulen wurde es blau von Vergissmeinnicht[2], dazwischen blühten gelbe und braunviolette Iris auf und versprühten ihren zarten Duft.

Libellen kletterten an die Spitzen der Blätter hinauf, prüften ihre Flügel und schwebten dann schillernd und flatternd über den Blumenkelchen, während der frische Duft, der dauernd aus dem Brunnen stieg, immer mehr die Luft erfüllte.

Maren beobachtete alles voller Entzücken[3] und Staunen.

Da hörte sie hinter sich ein angenehmes Stöhnen[4] wie von einer Frauenstimme. Und wirklich, als sie wieder zu der Vertiefung des Brunnens blickte, sah sie auf dem grünen Moosrand die ruhende Gestalt einer wunderbaren schönen Frau. Sie hatte ihren Kopf auf den nackten glänzenden Arm gestützt, über den das blonde Haar wie in seidenen Wellen herabfiel, und ließ ihre Augen oben zwischen den Säulen an der Decke wandern[5].

Regenwolken

Auch Maren blickte unwillkürlich[6] hinauf. Da sah sie nun, dass das, was sie für große Spinngewebe gehalten hatte, nichts anderes war, als das zarte Gewebe von Regenwolken.

Sie füllten sich mit aus dem Brunnen aufsteigenden Duft und wurden schwer und schwerer.

Gerade hatte sich ein solches Gewölk[7] in der Mitte der Decke abgelöst und sank leise schwebend herab, so dass Maren das

---

1. e Fülle: e Menge
2. s Vergissmeinnicht: blaues Blümchen
3. s Entzücken: e Freude
4. s Stöhnen: s Ächzen
5. sie ließ ihre Augen wandern: schauen
6. unwillkürlich: spontan
7. s Gewölk: Wolken Pl.

Gesicht der schönen Frau am Brunnen nur noch wie durch einen grauen Schleier sah.

Da klatschte diese in die Hände und sogleich schwamm die Wolke zu der nächsten Fensteröffnung und floss durch dieselbe ins Freie hinaus.

„Nun!" rief die schöne Frau. „Wie gefällt dir das?"

Dabei lächelte ihr roter Mund und ihre weißen Zähne blitzten. Dann winkte sie Maren zu sich und diese musste sich neben sie ins Moos setzen. Als dann wieder ein Duftgewebe von der Decke niedersank, sagte sie: „Nun klatsch in deine Hände!"

Und als Maren das getan hatte und auch diese Wolke, wie die erste, ins Freie hinausgezogen war, rief sie: „Siehst du wohl, wie leicht das ist! Du kannst es besser noch als ich!"

Maren betrachtete verwundert die schöne fröhliche Frau. „Aber", fragte sie, „wer seid Ihr denn eigentlich?"

„Wer ich bin? Nun, Kind, du bist aber einfältig!"

Das Mädchen sah sie noch einmal mit fraglichen Augen an. Endlich sagte sie zögernd: „Ihr seid doch nicht gar die Regentrude?"

„Und wer sollte ich denn anders sein?"

„Aber verzeiht! Ihr seid ja so schön und lustig jetzt!"

Da wurde die Trude plötzlich ganz still. „Ja", rief sie, „ich muss dir dankbar sein. Wenn du mich nicht geweckt hättest, wäre der Feuermann Herrscher geworden und ich hätte wieder hinab müssen zu der Mutter unter die Erde."

Und indem sie ein wenig wie vor innerem Grauen die weißen Schultern zusammenzog, setzte sie hinzu: „Und es ist ja doch so schön und grün hier oben!"

Dann musste Maren erzählen, wie sie hierhergekommen war und die Trude legte sich ins Moos zurück und hörte zu. Mitunter pflückte sie eine der Blumen, die neben ihr wuchsen und steckte sie sich oder dem Mädchen ins Haar.

Als Maren von dem mühsamen Gang auf dem Weidendamm berichtete, seufzte die Trude und sagte: „Der Damm ist einst von euch Menschen selbst gebaut worden, aber es ist schon lange,

lange her! Ein solches Kleid, wie du es trägst, sah ich nie bei ihren Frauen. Sie kamen damals öfters zu mir, ich gab ihnen Keime und Körner für neue Pflanzen und Getreide[1], und sie brachten mir zum Dank von ihren Früchten. Wie sie mich nicht vergaßen, so vergaß ich sie auch nicht, und ihre Felder waren niemals ohne Regen.

Seit langem aber sind mir die Menschen fremd, es kommt niemand mehr zu mir. Da bin ich denn vor Hitze und lauter Langeweile eingeschlafen und der tückische[2] Feuermann hätte fast den Sieg erhalten."

Maren hatte sich währenddessen ebenfalls mit geschlossenen Augen auf das Moos zurückgelegt. Die Stimme der schönen Trude klang so süß und angenehm.

„Nur einmal", fuhr diese fort, „aber das ist auch schon lange her, ist noch ein Mädchen gekommen. Sie sah fast aus wie du. Ich schenkte ihr von meinem Wiesenhonig und das war die letzte Gabe, die ein Mensch aus meiner Hand empfangen hat." „Seht nur", sagte Maren, „jenes Mädchen muss die Urahne von meinem Schatz gewesen sein und der Trank, der mich heute so gestärkt hat, war gewiss aus Eurem Wiesenhonig gemacht!"

Die Regenfrau dachte vermutlich noch an ihre junge Freundin von damals, denn sie fragte: „Hat sie denn noch so schöne braune Löckchen an der Stirn?"

„Wer denn, Frau Trude?"

„Nun, die Urahne, wie du sie nennst!"

„O nein, Frau Trude", antwortete Maren und sie fühlte sich in diesem Augenblick fast ein wenig überlegen –, „die Urahne ist ja ganz steinalt[3] geworden!"

„Alt?" fragte die schöne Frau. Sie verstand das nicht, denn sie kannte nicht das Alter.

Maren hatte große Mühe, es ihr zu erklären. „Graues Haar, rote

1. **s Getreide:** s Korn
2. **tückisch:** falsch
3. **steinalt:** sehr alt

69

Augen und Falten im Gesicht und mürrisch[1] sein! Frau Trude, das nennen wir alt!"

„Ja," erwiderte diese, „ich erinnere mich nun. Es waren auch solche unter den Frauen der Menschen, aber die Urahne soll zu mir kommen, ich mache sie wieder froh und schön."

Maren schüttelte den Kopf. „Das geht ja nicht, Frau Trude", sagte sie, „die Urahne ist ja längst unter der Erde."

Die Trude seufzte. „Arme Urahne."

Hierauf schwiegen beide, während sie noch immer bequem ausgestreckt im weichen Moos lagen.

„Aber Kind!" rief plötzlich die Trude, „da haben wir mit dem Geplauder ja ganz das Regenmachen vergessen. Mach doch nur die Augen auf! Wir sind ja ganz unter lauter Wolken begraben. Ich sehe dich schon gar nicht mehr!"

„Oh, da wird man ja nass wie eine Katze!" rief Maren, als sie die Augen öffnete.

Die Trude lachte. „Klatsch nur ein wenig in die Hände, aber pass auf, dass du die Wolke nicht zerreißt!"

So begannen beide leise, in die Hände zu klopfen. Bald drängten sich die Wolken zu den Öffnungen und schwammen, eine nach der anderen, ins Freie hinaus.

Nach kurzer Zeit sah Maren schon wieder den Brunnen vor sich und den grünen Boden mit den gelben und violetten Irisblüten. Dann wurden auch die Fensterhöhlen frei und sie sah, wie die Wolken weit über die Bäume des Gartens hin den ganzen Himmel überzogen.

Regen rauscht herab

Allmählich verschwand die Sonne. Noch ein paar Augenblicke und sie hörte es draußen wie einen Schauer durch die Bäume und Gebüsche wehen und dann rauschte der Regen hernieder, mächtig und unablässig.

---

1. **mürrisch:** unzufrieden

Maren saß aufrecht mit gefalteten Händen da.

„Frau Trude, es regnet", sagte sie leise. Diese nickte kaum merklich mit ihrem schönen blonden Kopf. Sie schien zu träumen.

Plötzlich aber hörte man draußen ein lautes Prasseln[1] und Heulen[2]. Maren blickte erschrocken hinaus und sah, wie sich aus dem Bett des Umgebungsstroms, den sie kurz vorher überschritten hatte, ungeheure weiße Dampfwolken stoßweise[3] in die Luft erhoben.

„Nun gießen sie den Feuermann aus[4]", flüsterte die Trude, „horch nur, wie er sich wehrt! Aber es hilft ihm doch nichts mehr."

Dann wurde es draußen still und es war nun nichts zu hören als das sanfte Rauschen des Regens.

Da standen sie auf und die Trude ließ die Falltür des Brunnens herab und verschloss sie. Maren küsste ihre weiße Hand und sagte: „Ich danke Euch, liebe Frau Trude, für mich und alle Leute in unserm Dorf! Und" – setzte sie ein wenig zögernd hinzu – „nun möchte ich wieder heimgehen!"

„Schon gehen?" fragte die Trude.

„Ihr wisst es ja, mein Schatz wartet auf mich. Er ist sicher schon ganz nass geworden."

„So geh', mein Kind, und wenn du heimkommst, erzähl den Menschen von mir, dass sie mich in Zukunft nicht vergessen. – Und nun komm! Ich werde dich führen."

Als sie an den Fluss kamen, hatte das Wasser schon sein ganzes Bett wieder ausgefüllt. Das Boot lag schaukelnd am Uferrand, als ob es auf sie gewartet hätte.

Und welch ein Wunder! Es war wie von unsichtbarer Hand wiederhergestellt.

Sie stiegen ein und fuhren über den Fluss, während die

1. **s Prasseln:** starker Regen
2. **s Heulen:** Geräusch des Winds
3. **stoßweise:** ruckartig
4. **ausgießen:** löschen

Tropfen spielend und klingend in die Flut fielen. Da, als sie am anderen Ufer aus dem Boot stiegen, schlugen[1] neben ihnen die Nachtigallen[2] ganz laut aus dem Dunkel des Gebüsches.

„Oh", rief die Trude und atmete tief aus vollem Herzen, „es ist noch Nachtigallenzeit, es ist noch nicht zu spät!"

Dann gingen sie an dem Bach entlang, der zu der breiten Rinne unter den dunklen Linden führte.

Als sie wieder ins Freie traten, sah Maren den fremden Vogel in großen Kreisen über einem See schweben, dessen weites Becken sich vor ihnen ausdehnte[3].

Tausende von Blumen blühten überall. Maren bemerkte auch Veilchen und Maililien und andere Blumen, deren Zeit eigentlich längst vorüber war, die aber wegen der bösen Glut sich nicht hatten entfalten können.

„Die wollen auch nicht zurückbleiben", sagte die Trude, „das blüht nun alles durcheinander."

Ab und zu schüttelte sie ihr blondes Haar, dass die Tropfen wie Perlen um sie her fielen oder sie hielt ihre Hände zusammen, dass von ihren vollen weißen Armen das Wasser wie in eine Muschel hinabfloss. Dann wieder riss sie die Hände auseinander, und wo die Tropfen die Erde berührten, da stiegen neue Düfte auf und ein Farbenspiel von frischen, nie gesehenen Blumen leuchtete aus dem Rasen.

Abschied von der Regentrude

Als sie um den See herum gegangen waren, blickte Maren noch einmal auf die weite Wasserfläche zurück, die bei dem niederfallenden Regen kaum sichtbar war. Es schauerte sie fast bei dem Gedanken, dass sie am Morgen trockenen Fußes[4] durch die Tiefe gegangen war.

Bald mussten sie dem Platz nahe sein, wo sie ihren Andrees

1. **schlagen:** *hier,* singen
2. **e Nachtigall:** r Vogel, der nachts singt
3. **sich ausdehnen:** sich ausbreiten
4. **trockenen Fußes:** ohne nass zu werden

zurückgelassen hatte. Und richtig! Dort unter den hohen Bäumen lag er mit aufgestütztem Arm. Er schien zu schlafen. Als aber Maren auf die schöne Trude blickte, wie sie mit dem roten lächelnden Munde so stolz neben ihr über den Rasen schritt, erschien sie sich plötzlich in ihren bäurischen[1] Kleidern so plump und hässlich, dass sie dachte: ‚Oh, das ist nicht gut, die braucht der Andrees nicht zu sehen!' Laut aber sprach sie: „Habt Dank für Euer Geleit[2], Frau Trude, ich finde mich nun schon selber zurecht[3]!"

„Aber ich muss doch deinen Schatz noch sehen!"

„Bemüht Euch nicht, Frau Trude", erwiderte Maren, „es ist eben ein Bursche wie die andern auch und gerade gut genug für ein Mädchen vom Dorf."

Die Trude sah sie mit durchdringenden Augen an. „Schön bist du, Närrchen[4]!" sagte sie und erhob drohend ihren Finger: „Bist du denn aber auch in deinem Dorf die Allerschönste?"

Da stieg dem hübschen Mädchen das Blut ins Gesicht, dass ihr Tränen in die Augen kamen. Die Trude aber lächelte schon wieder. „So pass denn auf!" sagte sie, „weil nun doch alle Quellen wieder springen, so könnt ihr einen kürzern Weg zurückgehen. Gleich unten links am Weidendamm liegt ein Nachen[5]. Steig ruhig hinein! Er wird euch rasch und sicher in eure Heimat bringen! – Und nun leb wohl!" rief sie und legte ihren Arm um den Nacken des Mädchens und küsste sie.

„Oh, wie süß frisch schmeckt doch solch ein Menschenmund!"

Dann drehte sie sich um und ging unter den fallenden Tropfen über den Rasen dahin. Dabei begann sie zu singen. Das klang süß und eintönig. Und als die schöne Gestalt zwischen den Bäumen verschwunden war, da wusste Maren nicht, ob sie noch immer aus der Ferne den Gesang hörte, oder ob es nur das Rauschen des niederfallenden Regens war.

---

1. **bäurisch:** bäuerlich
2. **s Geleit:** e Begleitung
3. **sich zurechtfinden:** sich orientieren
4. **s Närrchen:** s Dummerchen
5. **r Nachen:** s Boot

Eine Weile noch blieb das Mädchen stehen, dann streckte sie wie in plötzlicher Sehnsucht die Arme aus. „Lebt wohl, schöne, liebe Regentrude, lebt wohl!" rief sie. – Aber keine Antwort kam zurück. Sie merkte es nun deutlich, es war nur noch der Regen, der herniederrauschte.

Nach Hause!

Als sie hierauf langsam dem Eingang des Gartens zuschritt, sah sie den jungen Bauer hoch aufgerichtet unter den Bäumen stehen.

„Wonach schaust du denn so?" fragte sie, als sie näher gekommen war.

„Alle Tausend, Maren!" rief Andrees, „was war denn das für ein sauber Weibsbild[1]?" Das Mädchen aber ergriff den Arm des Burschen. „Guck dir nur nicht die Augen aus!" sagte sie, „das ist keine für dich, das war die Regentrude!"

Andrees lachte. „Nun, Maren", erwiderte er, „dass du sie richtig aufgeweckt hast, das hab' ich hier schon merken können, denn so nass, meine ich, ist der Regen noch nie gewesen! – Aber nun komm! Wir wollen heim, und dein Vater soll uns sein gegebenes Wort einlösen."

Unten am Weidendamm fanden sie den Nachen und stiegen ein. Das ganze weite Tiefland war schon überflutet. Schlanke Seeschwalben schossen schreiend über ihnen hin und tauchten die Spitzen ihrer Flügel in die Flut, während die Silbermöwe[2] majestätisch neben ihrem fahrenden Kahn dahinschwamm.

Auf den grünen Inselchen, an denen sie hier und dort vorbeikamen, sahen sie die Bruushähne[3] mit den goldenen Kragen ihre Kampfspiele halten. So glitten sie rasch dahin. Noch immer fiel der Regen, sanft, doch unablässig.

Jetzt aber verengte sich das Wasser und bald war es nur noch ein mäßig breiter Bach. Andrees hatte schon eine Zeitlang mit der

---

1. **ein sauber Weibsbild:** feine Frau
2. **e Silbermöwe:** r Wasservogel
3. **e Bruushahn:** r Vogel, Kampfläufer

Hand über den Augen in die Ferne geblickt. „Sieh doch, Maren", rief er, „ist das nicht mein Roggenfeld[1]?"

„Freilich, Andrees, und prächtig grün ist es geworden! Aber siehst du denn nicht, dass es unser Dorfbach ist, auf dem wir fahren?"

„Richtig, Maren, aber was ist denn das dort? Das ist ja alles überflutet!"

„Ach, du lieber Gott!" rief Maren, „das sind ja die Wiesen meines Vaters! Sieh nur, das schöne Heu, es schwimmt ja alles." Andrees drückte dem Mädchen die Hand. „Lass nur, Maren!" sagte er, „der Preis ist, denk ich, nicht zu hoch, und meine Felder tragen ja nun um desto besser."

Bei der Dorflinde legte der Nachen an. Sie traten ans Ufer und bald gingen sie Hand in Hand die Straße hinab. Da wurde ihnen von allen Seiten freundlich zugenickt; denn Mutter Stine mochte in ihrer Abwesenheit doch ein wenig geplaudert haben. „Es regnet!" riefen die Kinder, die unter den Tropfen durch über die Straße liefen.

„Ja, ja, es regnet!" sagte auch der Wiesenbauer, der wieder mit der Meerschaumpfeife in der Torfahrt seines stattlichen Hauses stand. „Und du, Maren, hast mich heute morgen angelogen. Aber kommt nur herein, ihr beiden! Der Andrees, ist ein guter Bursche, seine Ernte wird in diesem Jahr auch noch gut, und wenn es wieder in etwa drei Jahren Regen geben sollte, so ist es am Ende doch nicht so ärgerlich, wenn Höhen und Tiefen zusammen kommen. Darum geht hinüber zu Mutter Stine, da wollen wir die Sache nun in Ordnung bringen!"

Mehrere Wochen waren seitdem vergangen. Der Regen hatte längst wieder aufgehört, und die letzten schweren Erntewagen waren mit Kränzen und flatternden Bändern in die Scheuern eingefahren. Da schritt im schönsten Sonnenschein ein großer Hochzeitszug[2] der Kirche zu. Maren und Andrees waren die

---

1. s **Roggenfeld:** s Getreidefeld
2. r **Hochzeitszug:** e Reihe von Hochzeitsgästen

Brautleute[1]. Hinter ihnen gingen Hand in Hand Mutter Stine und der Wiesenbauer. Als sie fast bei der Kirchentür angelangt waren, dass sie schon den Choral vernahmen, den drinnen zu ihrem Empfang der alte Kantor[2] auf der Orgel spielte, zog plötzlich ein weißes Wölkchen über ihnen am blauen Himmel auf und ein paar leichte Regentropfen fielen der Braut in ihren Kranz. –

„Das bedeutet Glück!" riefen die Leute, die vor der Kirche standen.

„Das war die Regentrude!" flüsterten Braut und Bräutigam und drückten sich die Hände.

Dann trat der Zug in die Kirche. Die Sonne schien wieder, die Orgel aber schwieg und der Priester verrichtete sein Werk[3].

1. **e Brautleute:** *Pl.*, s Hochzeitspaar
2. **r Kantor:** r Organist
3. **sein Werk verrichten:** seine Aufgabe ausführen

ÜBUNGEN

EINLEITUNG

A. Jugend

1. Wann wurde Storm geboren?

_____

2. Wie heißt seine Heimatstadt?

_____

3. Storm hat dieser Stadt das Gedicht „Die Stadt" gewidmet.

Die Stadt
Am grauen Strand, am grauen Meer
Und seitab liegt die Stadt;
Der Nebel drückt die Dächer schwer,
Und durch die Stille braust das Meer
Eintönig um die Stadt.

Es rauscht kein Wald, es schlägt im Mai
Kein Vogel ohne Unterlass;
Die Wandergans mit hartem Schrei
Nur fliegt in Herbstesnacht vorbei,
Am Strande weht das Gras.

Doch hängt mein ganzes Herz an dir,
Du graue Stadt am Meer;
Der Jugend Zauber für und für
Ruht lächelnd doch auf dir, auf dir,
Du graue Stadt am Meer.

a. Wo liegt die Stadt?

_____

b. Ist es ein fröhliches Gedicht?

_____

4. Wer waren Storms Eltern?

_____

5. Warum bekam Theodor den Namen Woldsen?

_____

6. Welche Ereignisse haben den jungen Theodor stark beeindruckt?

_____

_____

7. In welchen Werken verarbeitete Storm diese Eindrücke?

_____

_____

8. Was studierte Storm?

_____

9. Warum wählte er dieses Studium?

_____

10. Wo studierte er?

_____

B. Erste dichterische Arbeit und Beruf.

1. Mit wem freundete er sich an?

_____

2. Was veröffentlichte er mit den Freunden?

_____

3. Wie heißt die Novelle, die er damals begann?

_____

4. Welchen Beruf übte Storm aus?

_____

5. In welcher Stadt lebte er?

_____

6. Warum verlor er seine Arbeit?

_____

_____

7. Wohin reiste er, nachdem er keine Arbeit hatte?

_____

8. Wen lernte er dort kennen?

_____

9. Welche Stellung bekam er?

_____

C. Familienleben

1. Wen heiratete Storm?

_____

2. War Storm glücklich in der Ehe?

_____

3. Wie viele Kinder hatte er?

_____

4. Wo lebte die Familie?

_____

5. Wen heiratete er nach dem Tod seiner Frau?

_____

6. Wann ging er in Pension?

_____

_____

7. Wie und wann starb Storm? Wo befindet sich sein Grab?

_____

_____

D. Werk

1. Zu welcher Literaturepoche gehört Storm?

_____

2. Welche bekannten Dichter traten in Storms Leben?

_____

3. Was schrieb Storm hauptsächlich?

_____

4. Welche sind die Hauptwerke?

_____

_____

_____

_____

IMMENSEE

1. Kreuze die richtige Antwort an.
Der Erzähler ist:
a. ein junges Mädchen
b. ein alter Mann
c. eine alte Frau

2. Wie heißen die beiden Kinder?
a. _____
b. _____

3. Wie alt sind sie?
a. _____
b. _____

4. Lies das Märchen von den Spinnfrauen.
Marie war ein <u>schönes</u> und fleißiges Mädchen, nur spinnen konnte sie nicht. Sie hatte einen reichen und jungen Freier, für den sie zehn Pfund Flachs zu feinem Faden verspinnen sollte. „Hast du's fertig zum Sonnabend, so soll die Hochzeit sein," sagte er und ging fort. Marie aber wusste nicht, was sie machen sollte, und ging hinaus und weinte. Sie ging die Strasse entlang und kam an eine Hütte, in der eine Frau am Spinnrad saß, die hatte Lippen, die waren entsetzlich breit. Marie erschrak zuerst, aber dann sagte sie: „Liebe Frau, könnt Ihr mir bitte diesen Flachs bis übermorgen verspinnen? Ich will Euch bares Geld dafür geben." Die Alte sagte, das sei unmöglich. Da fiel das Mädchen vor ihr auf die Knie und jammerte, dass sie sonst keinen Mann bekommen würde. Da sagte die Alte: „Steh auf, ich verspinne deinen Flachs, aber du musst mich zu deiner Hochzeit einladen." Das Mädchen versprach es. Als am Sonntag der Bräutigam kam, freute er sich über den

Faden, war aber noch nicht zufrieden. „Noch diese sechzehn Pfund, dann soll die Hochzeit sein."

Die Braut ging wieder traurig hinaus und kam an eine zweite Hütte. Da saß am Spinnrad eine alte Frau, die so breit war, dass sie nicht auf drei Stühlen Platz hatte. Marie trug wieder ihre Bitte vor, doch die Frau sagte, es sei unmöglich, außer sie dürfe mit auf ihrer Hochzeit tanzen. Am Sonntag nun sagte der Bräutigam endlich: „Morgen soll die Hochzeit sein".

Als alle Gäste versammelt waren, hielten noch zwei Kutschen vor der Tür. Da kam aus der ersten die Spinnerin mit den breiten Lippen, aus der zweiten – nein, die zweite kam nicht heraus, die musste mit Stricken herausgezogen werden. Der Bräutigam ging zu der ersten und fragte: „Liebe Frau, habt Ihr immer schon solche breite Lippen gehabt?" – „Wie sollte man nicht breite Lippen haben," antwortete sie, „wenn man immer am Spinnrad sitzt und den Faden leckt." Darauf ging er zu der andern und fragte: „Liebe Frau, seid Ihr immer schon so breit gewesen?" – „Ei, da muss man wohl breit werden, wenn man so lange Jahre am Spinnrad sitzen muss." Da nahm der Bräutigam Marie schnell in seinen Arm, sah sie an und fand sie noch schlank und schön.

Das Spinnrad aber ließ er heimlich zerschlagen und sie lebten ohne Spinnrad in Glück und Freuden.

5. Unterstreiche im Text die Adjektive und trage sie in die Liste ein.

schön	

6. Beantworte die Fragen.

a. Findest du es richtig, dass Marie den Bräutigam belügt?

_____

b. Findest du es richtig, dass der Bräutigam den Flachs spinnen lässt?

_____

c. Was ist die Moral von der Geschichte?

_____
_____
_____

d. Warum möchte Elisabeth die Geschichte nicht hören?

_____
_____

7. Welches Wort passt nicht?

a. Bräutigam   Freier   Verlobter   Onkel

b. spinnen   nähen   kochen   stricken

c. Heirat   Eheschließung   Hochzeit   Weihnachten

8. Storms Novelle „Immensee" ist voller Symbole und Gedichte.

a. Was will Storm mit den folgenden Sätzen ausdrücken?

1. „Ein heller Schein beleuchtete nun ein kleines Bild in einem einfachen, schwarzen Rahmen." (Seite 8)

_____

_____

2. „Darin verglich Reinhard sich selbst mit einem jungen Adler, den Schulmeister aber mit einer grauen Krähe. Elisabeth war die weiße Taube." (Seite 11)

_____

_____

b. Deute die Episoden:

1. Erdbeersuche (ab Seite 12)

_____

_____

2. Vogelkäfig (Seite 24)

_____

_____

3. Überreichen des trockenen Blumenstengels
(Seite 26)

_____

_____

4. Suche nach der Wasserlilie (ab Seite 38)

c. Interpretiere die Gedichte.

1. „Hier an des Berges Halden." (Seite 17)

2. Das Lied des Harfenmädchens. (Seite 19)

3. „Er wäre fast verirret." (Seite 22)

4. „Meine Mutter hat's gewollt. (Seite 37)

9. Kreuze die richtige Antwort an.

a. Erdbeeren sind rot
b. Himbeeren sind blau
c. Brombeeren sind schwarz
d. Heidelbeeren sind blau
e. Johannisbeeren sind rot
f. Preiselbeeren sind schwarz
g. Stachelbeeren sind grün

Siehe Lösung Seite 92

10. An welchen Stellen kommt die Liebe zwischen Reinhard und Elisabeth zum Ausdruck?

_____

_____

11. Warum erklärt Reinhard seine Liebe nicht?

_____

_____

12. Verliert er sie deshalb an einen anderen?

_____

_____

13. Ist Elisabeth unglücklich?

_____

14. Warum flieht Reinhard?

_____

_____

15. Zähle die Hauptfiguren auf. Und beschreibe sie kurz.

a. _____

b. _____

c. _____

d. _____

e. _____

DIE REGENTRUDE

1. Beantworte die Fragen.

   a. Welche Personen kommen in dem Märchen vor?

   _____

   _____

   _____

   _____

   _____

   b. Welchen Märchenwesen begegnen wir?

   _____

   _____

2. Was sind die Schauplätze des Märchens?
   Kreuze die richtige Antwort an.

   ☐ Dorf   ☐ Stadt   ☐ Wald   ☐ See   ☐ Fluss
   ☐ Gebirge   ☐ Bauernhof   ☐ Weide   ☐ Brunnen
   ☐ Meer   ☐ Schloss   ☐ Kirche   ☐ Schiff

   Siehe Lösung Seite 92

3. Was passiert dort?

   a. *Im Dorf wohnen...* _____

   b. _____

   c. _____

   d. _____

   e. _____

   f. _____

   g. _____

   h. _____

   i. _____

   j. _____

4. Beantworte die Fragen.

a. Warum ist der Wiesenbauer gegen die Heirat seiner Tochter mit Andrees?

_____

_____

b. Welche Bedingung stellt er?

_____

_____

c. Glaubt er wirklich, dass die Bedingung erfüllt werden kann?

_____

5. Unregelmäßige Verben. Setze die fehlenden Formen ein.

Infinitiv	Imperfekt	Perfekt
geben	*gab*	*hat gegeben*
liegen		
	stand	
		ist gefahren
erwerben		
		ist gestiegen
gehen		
	hielt	
treten		
sehen		
		hat gestoßen
sitzen		
	bekam	
		ist versunken
	schlief	
	vergaß	
tragen		

Siehe Lösung Seite 92

6. Warum schläft die Regentrude?

_____

_____

7. Wenn sie nicht erwacht, herrscht der Feuermann, über die Erde. Was hat das für Folgen?

_____

_____

8. Interpretiere den Zaubervers:

„Dunst ist die Welle,
Staub ist die Quelle!
Stumm sind die Wälder,
Feuermann tanzet über die Felder!
Nimm dich in acht!
Eh du erwacht,
Holt dich die Mutter
Heim in die Nacht!"

_____

_____

_____

_____

_____

9. Trenne die Wörter und setze sie in die Tabelle ein.

a. e Regentrude		
b. r Feuermann		
c. e Dorfstraße		
d. r Wiesenbauer		
e. e Heidekraut		

Siehe Lösung Seite 93

10. „Die Regentrude" gilt als sozialkritisches Kunst-märchen.
Beantworte die Fragen.

a. Wie tritt der Wiesenbauer auf?

_____

_____

b. Wie ist das Verhältnis zu seiner Tochter?

_____

_____

c. Wie verhält sich die Nachbarin Stine dem Wiesenbauer gegenüber?

_____

_____

d. Was hält der Feuermann von Andrees?

_____

_____

e. Worüber beklagt sich die Regentrude?

_____

_____

11. „Immensee" und „Die Regentrude".
Kreuze deine Antwort an.

a. Welchen Eindruck hinterlässt „Immensee" bei dir?

☐ Einen traurigen.
☐ Einen frohen.
☐ Einen indifferenten.

b. Welchen Eindruck hinterlässt „Die Regentrude" bei dir?

☐ Einen traurigen.
☐ Einen frohen.
☐ Einen indifferenten.

12. Worin liegt der Unterschied zwischen einer Novelle und einem Kunstmärchen?

_____

_____

_____

_____

_____

_____

_____

_____

_____

_____

_____

_____

_____

_____

_____

_____

_____

_____

_____

_____

_____

LÖSUNGEN

IMMENSEE

Übung 9
a • c • d • e • g

REGENTRUDE

Übung 2
Dorf • Wald • See • Fluss • Gebirge • Bauernhof • Weide • Brunnen • Schloss • Kirche

Übung 5

Infinitiv	Imperfekt	Perfekt
liegen	lag	hat gelegen
stehen	stand	hat gestanden
fahren	fuhr	ist gefahren
erwerben	erwarb	hat erworben
steigen	stieg	ist gestiegen
gehen	ging	ist gegangen
halten	hielt	hat gehalten
treten	trat	ist getreten
sehen	sah	hat gesehen
stoßen	stieß	hat gestoßen
sitzen	saß	hat gesessen
bekommen	bekam	hat bekommen
versinken	versank	ist versunken
schlafen	schlief	hat geschlafen
vergessen	vergaß	hat vergessen
tragen	trug	hat getragen

Übung 9

a. r Regen / e Trude • b. s Feuer / r Mann • c. s Dorf / e
Straße • d. e Wiese / r Bauer • e. e Heide / s Kraut

Adaption und Übungen Gunna Schlusnus
Linguistische Beratung Ingo Sommerfeld
Editing Sylvia Proser
Umschlag Claude Monet, *Seerose*

La Spiga languages

INHALTSVERZEICHNIS

PORTFOLIO

	SEHR GUT	GUT	NICHT GUT
Ich kann die Verben ins Präteritum, Perfekt, Plusquamperfekt, Futur I und Futur II setzen	❏	❏	❏
Ich kann das Partizip I und II benutzen	❏	❏	❏
Ich kann den Konjunktiv II und I anwenden	❏	❏	❏
Ich kann alle Modalverben benutzen	❏	❏	❏
Ich kann das Passiv anwenden	❏	❏	❏
Ich kenne trennbare und untrennbare Verben	❏	❏	❏
Ich kann Personal-, Possessiv-, Relativ- und Demonstrativpronomen in den Akkusativ, Dativ und Genitiv setzen	❏	❏	❏
Ich kenne die Präpositionen mit dem Akkusativ, Dativ und Genitiv	❏	❏	❏
Ich kann Nebensätze bilden	❏	❏	❏
Ich kann die Konnektoren OB, DESWEGEN, SEIT und OBWOHL benutzen	❏	❏	❏
Ich kann den Infinitiv mit und ohne ZU bilden	❏	❏	❏
Ich kann Komparativ und Superlativ bilden	❏	❏	❏
Ich kenne zweiteilige Konjunktionen wie z.B. NICHT NUR... SONDERN AUCH	❏	❏	❏
Ich kann den Text verstehen	❏	❏	❏
Ich kann über den Text sprechen	❏	❏	❏

© 2010 ELI SRL - **LA SPIGA LANGUAGES** • TEL. +39 02 2157240 • info@laspigamodern.com • info@elionline.com
PRINTED IN ITALY BY **TECNOSTAMPA**